사상의 꽃들 3

반경환 명시감상 7

국립중앙도서관 출판예정도서목록(CIP)

사상의 꽃들. 3, 반경환 명시감상 7 / 지은이: 반경환. 一
대전 : 지혜, 2018
     p. ;   cm

ISBN 979-11-5728-264-7 04810 : ₩10000
ISBN 979-11-5728-263-0 (세트) 04810

시 평론[詩評論]
한국 현대 문학[韓國現代文學]

811.709-KDC6
895.715-DDC23   CIP2018002792

사상의 꽃들 3

반경환 명시감상 7

지혜

저자서문

시인은 꽃을 가져오는 사람이고, 철학자는 사상(정수精髓)을 가져오는 사람이다. 쇼펜하우어는 시와 철학의 상관관계를 매우 정확하게 알고 있었던 세계적인 사상가였다.

시인의 세계는 상상력의 세계이며, 그가 펼쳐 보이는 세계는 아름답고, 신비로우며, 환상적이다. 여기가 아닌 다른 곳, 그 다른 세계로 우리 인간들을 인도하며, 그의 시세계는 활짝 핀 꽃과도 같은 아름다움을 가져다가 준다.

어떤 시인은 살아 있어도 이미 죽은 것이지만, 어떤 시인은 이미 죽었어도 영원히 살아 있는 것이다.

사상은 시의 씨앗이고, 시는 사상의 꽃이다.

이 사상과 시가 있기 때문에 우리 인간들의 삶은 아름답고 행복한 것이다.

『사상의 꽃들』1, 2권에 이어서, 이『사상의 꽃들』3, 4권을 탄생시켜준 김수영, 김소월, 윤동주, 김종삼, 천양희, 정호승, 신대철, 박남철, 기형도, 이순희, 조재형, 최승호, 오현정, 이대흠, 이재무, 박정원, 안도현, 반칠환, 나태주, 남상진, 이성복, 황지우, 정용기, 금기웅, 김환식, 김지명, 유계자, 김용택, 송찬호, 손택수, 손경선, 곽성숙, 유홍준, 박수화, 함민복, 최승자, 길상호, 김군길, 현상연, 강서연, 이서빈, 장석주, 최금녀 등, 100명의 시인들과 그 동안『반경환 명시감상』을 너무나도 뜨거운 마음으로 사랑해준 독자 여러분들에게 진심으로 감사를 드린다.

좀 더 정확하게 말한다면, 독자 여러분들은 이 책의 저자였고, 나는 독자 여러분들의 시심詩心을 받아 적은 필자에 불과했다.

나는 이 '사상의 꽃들'을 쓰면서, 너무나도 행복했고, 또, 행복했었다.

2018년 정월, '애지愛知의 숲'을 거닐면서……

차례

2부

김수영　김소월

윤동주　김종삼

천양희　정호승

신대철　박남철

기형도　박만진

고영섭　이순희

김수영
풀

풀이 눕는다.
비를 모아 오는 동풍에 나부껴
풀은 눕고 드디어 울었다
날이 흐려서 더 울다가
다시 누웠다

풀이 눕는다
바람보다도 더 빨리 눕는다
바람보다도 더 빨리 울고
바람보다 먼저 일어난다
날이 흐리고 풀이 눕는다
발목까지
발밑까지 눕는다

바람보다 늦게 누워도

바람보다 먼저 일어나고
바람보다 늦게 울어도
바람보다 먼저 웃는다

날이 흐리고 풀뿌리가 눕는다

풀은 민초民草이며, 그야말로 백성의 상징이라고 할
수가 있다. 풀은 그 어떤 비바람에도 쓰러지지 않으며,
그 어떤 외세 앞에서도 결코 항복하지 않는다. 가난해
도 긍지가 있고, 부유해도 교만하지 않으며, 그 어떤
권력 앞에서도 굴복하지를 않는다.

바람은 외세의 상징이 되고, 비는 외세의 채찍이 되
며, 흐린 날은 그 억압의 분위기가 된다. "풀이 눕는다/
바람보다도 더 빨리" 눕지만, "바람보다도 더 빨리 울
고/ 바람보다"도 더 빨리 일어난다. "바람보다 늦게 누
워도/ 바람보다" 더 빨리 일어나고, "바람보다 늦게 울
어도/ 바람보다" 더 빨리 웃는다. 이때의 "더 빨리"는
풀의 강인한 생명력을 뜻하고, 이 강인한 생명력 앞에
서는 그 어떤 외세(권력)나 그 채찍마저도 도로아미타
불의 헛수고에 지나지 않는다.

무시당하는 것마저도 무시할 줄 알았던 풀, 수많은

이민족들의 말발굽과 채찍에 시달려왔으면서도 언제, 어느 때나 그것을 훌훌 털고 일어났던 풀, 동족상잔의 비극으로 삼천리 금수강산이 초토화되었어도 곧 그 강인한 생명력으로 삼천리 금수강산을 푸르고 푸르게 가꾸어왔던 풀─.

풀은 대지이고, 백성이다. 이 풀 위에 군림할 절대권력자는 없다. 김수영 시인의 대표작 「풀」은 그가 붉디 붉은 피로 쓴 시이며, 김수영 시인의 조국애와 민족애의 결정체라고 하지 않을 수가 없다.

"풀이 눕는다/ 비를 모아 오는 동풍에 나부껴/ 풀은 눕고 드디어 울었다/ 날이 흐려서 더 울다가/ 다시 누웠다// 풀이 눕는다/ 바람보다도 더 빨리 눕는다/ 바람보다도 더 빨리 울고/ 바람보다 먼저 일어난다/ 날이 흐리고 풀이 눕는다/ 발목까지/ 발밑까지 눕는다// 바람보다 늦게 누워도/ 바람보다 먼저 일어나고/ 바람보다 늦게 울어도/ 바람보다 먼저 웃는다// 날이 흐리고 풀뿌리가 눕는다"의 반복법과 점층법은 풀의 강인한 생명력과 풀의 영역의 확장에 기여를 하게 되고, "바람보다 늦게 누워도/ 바람보다 먼저 일어나고/ 바람보다 늦게 울어도/ 바람보다 먼저 웃는다"의 모순어법은 풀의 기적과 그 영원성에 기여를 하게 된다.

김소월

엄마야 누나야

엄마야 누나야, 강변 살자.
뜰에는 반짝이는 금모래 빛
뒷문 밖에는 갈잎의 노래
엄마야 누나야, 강변 살자.

📖

이집트 문명은 나일강을 끼고 발전했고, 메소포타미아 문명은 유프라테스강과 티그리스강을 끼고 발전했다. 인더스 문명은 인더스 강을 끼고 발전을 했고, 황하 문명은 황하강을 끼고 발전을 했다. 강은 인류 문명의 발상지이고, 모든 강은 인류의 영원한 젖줄이라고 할 수가 있다. 상류지역의 수많은 자양분을 싣고 와 드넓은 평야지대의 비옥한 터전을 적셔주는 강, 그 어떠한 가뭄 속에서도 그 유장한 흐름을 멈추지 않고 그 모든 것을 다 품어주고 길러주는 강—. 모든 강은 어머니의 강이자 우리들의 영원한 이상낙원이라고 할 수가 있다.

"엄마야 누나야, 강변 살자." 이 강변은 우리들의 영원한 고향이 되고, "뜰에는 반짝이는 금모래 빛"은 우리들의 풍요와 행복의 바로미터가 된다. "뜰에는 반짝이는 금모래 빛"이 펼쳐지면, "뒷문 밖에는 갈잎의 노래"로 그 환희의 송가가 울려퍼지게 된다.

언제, 어느 때나 우리들의 풍요와 행복이 자라나고, 아름답고 감미로운 환희의 송가가 울려퍼지는 마음의 고향—.

최초의 서정시인이자 최후의 서정시인인 김소월—. 김소월의 「엄마야 누나야」는 우리 한국인들의 영원한 고향 노래라고 하지 않을 수가 없다.

윤동주
서시

죽는 날까지 하늘을 우러러

한 점 부끄럼이 없기를,

잎새에 이는 바람에도

나는 괴로워했다.

별을 노래하는 마음으로

모든 죽어 가는 것을 사랑해야지

그리고 나한테 주어진 길을 걸어가야겠다.

오늘 밤에도 별이 바람에 스치운다.

📖

경의란 무엇인가? 경의란 우리를 한없이 부끄럽게
하고, 끊임없이 존경을 표하게 하는 그 모든 것이다.
경의를 표할 줄 아는 자는 자기 자신을 끊임없이 단죄
를 하고, 자기 자신을 높이높이 끌어올리며, 끝끝내는
자기 자신을 경의의 대상으로 만들어 놓고 만다. 모든
학문은 이 최고급의 인식욕에 불타는 자─경의를 표할
줄 아는 자─들이 이끌어 온 것이며, 나는 이 자리에서
우리가 어떻게 경의를 표하지 않고 전인류의 스승이 될
수 있는가를 묻고 싶은 것이다. 전인류의 스승은 마치,
밤하늘의 별처럼, 경의의 대상이며, 우리는 그 스승의
말과 행동과 그 숨소리까지도 닮을 수 있도록 자기 자
신과 그 스승을 일치시켜 나가지 않으면 안 된다. 모든
것을 부정하고 비판하기 이전에, 우리는 좀 더 겸손하
게 경의를 표하는 법부터 배워나가지 않으면 안 된다.
 윤동주 시인은 1917년 만주 용정에서 태어났고, 연

희전문학교를 거쳐 일본의 도시샤 대학 재학 중, 항일 운동 혐의로 체포되어 1945년 '후쿠오카 형무소'에서 사망을 했다. 윤동주 시인의 「서시」의 별은 경의의 대상이며, 그는 이 별 앞에서 더없이 겸손한 자세로 자기 자신을 단죄하고, 그 별의 사상과 이념에 따라서, 자기 자신의 행복을 연주해 나가겠다고 다짐을 하고 있는 것이다. "별을 노래하는 마음으로/ 모든 죽어 가는 것을 사랑해야지/ 그리고 나한테 주어진 길을 걸어가야겠다"라는 시구는 그의 삶의 목표가 되고, "죽는 날까지 하늘을 우러러/ 한 점 부끄럼이 없기를/ 잎새에 이는 바람에도/ 나는 괴로워했다"라는 시구는 그의 삶의 태도가 된다. 별은 밤하늘의 별일 수도 있고, 대한민국의 별일 수도 있다. 별은 우리 한국인들의 별일 수도 있고, 전인류의 스승들의 별일 수도 있다. 별은 어둠 속에서 어둠을 밝혀주고, 우리 한국인들을 미래의 이상낙원으로 인도해준다. 윤동주 시인의 「서시」의 별은 대단히 상징적이고 함축적이며, 윤동주 시인의 이상적 목표이자 그 모든 것이라고 할 수가 있다.

밤하늘의 별, 대한민국의 별, 우리 한국인들의 별, 자유와 평등과 사랑으로 인도해주는 별—. 윤동주 시인은 그 별들의 나라에 다가가기 위해 "죽는 날까지 하늘을 우러러/ 한 점 부끄럼이 없기를" 희망하고, 따라서 "잎새에 이는 바람에도" 괴로워하지 않으면 안 되었던 것이다. 도덕적으로 옳지 않은 것은 그 어떤 목적도 합리화될 수가 없다. 모든 학문, 예술, 정치, 경제, 문화의 토대는 도덕이고, 이 도덕의 토대 위에서만이—그것이 대한민국의 독립이든, 자유 민주주의 국가이든지 간에—그 목적이 정당화될 수가 있다. 죽는 날까지 하늘을 우러러 한 점 부끄러움이 없기를 바란다는 것은 십자가를 진 예수와도 같고, "내 고난에 썩고 썩은 사람, 그 어떠한 고통과도 싸워 이겨 보겠다"라는 오딧세우스와도 같다. 나는 윤동주 시인의 별이 영원한 조국의 별과 영원한 우리 한국인들의 별로 생각하고 있지만, 아무튼 그는 이 '영원한 별나라'에 가기 위하여 자기 스스로 십자가를 진 순교자가 되지 않을 수가 없었던 것이다. 「서시」는 그의 순교의 씨앗이 되고, "잎새에 이는 바람—비록, 그것이 일제의 만행일지라도—은 그의 순교의 꽃이 되고, 그리하여, 마침내 "별을 노래하는 마음으로/ 모든 죽어 가는 것을 사랑해야지/ 그리고 나한테 주어진 길을 걸어가야겠다"라는 시구는 순

교자로서의 그의 생애를 완성시켜 주었던 것이다. 떡
잎을 보면 그 나무의 미래를 알 수가 있다. 윤동주 시
인의 순교자로서의 생애와 대한민국 최고의 시인으로
서의 등극은 이처럼 예정되어 있었던 것이다.

우리 한국인들이 일본인에게 경의를 표할 줄 알았다
면 일본을 극복하고 문화선진국이 되었을 것이고, 우
리 한국인들이 미국인에게 경의를 표할 줄 알았다면
미국을 극복하고 남북통일을 이룩했을 것이다. 경의
를 표할 줄 아는 자는 부끄러움을 아는 자이며, 부끄러
움을 아는 자는 타인의 장점과 그 위대함을 배우고 자
기 자신을 높이높이 끌어올리게 된다. 경의를 표할 줄
안다는 것은 고귀함과 위대함이 무엇인지 안다는 것이
며, 고귀함과 위대함이 무엇인지 안다는 것은 자기가
자기 스스로를 끊임없이 고통의 지옥훈련과정으로 몰
아넣으며, 끝끝내 새로운 미래의 인간, 즉, 전인류의
스승으로 다시 태어날 수 있다는 것을 뜻한다. 모든 것
은 예정되어 있고, 따라서 모든 것은 고귀하고 위대한
것에 대한 경의를 표하는 것으로부터 시작된다고 하지
않을 수가 없다.

문득, "죽는 날까지 하늘을 우러러/ 한 점 부끄럼

이 없기를/ 잎새에 이는 바람에도/ 나는 괴로워했다" 라는 윤동주 시인의 「서시」를 읽으면서도, 윤동주 시인의 순교자적인 죽음과 이 「서시」의 시적 성과마저도 다 '헛되고 헛되다'라는 생각이 들기도 한다. 기초생활질서를 안 지키는 것도 패망의 길이고, 주입식 암기교육도 패망의 길이다. 표절도 패망의 길이고, 부정부패도 패망의 길이다. 스스로 자발적으로 너무나도 분명하고 확실하게 패망의 길을 걸어가고 있는 우리 한국인들에게 윤동주 시인의 「서시」가 다 무슨 소용이 있단 말인가?

우리 한국인들은 사상적으로나 학문적으로 이미 거세를 당했기 때문에 부끄러움을 모르고, 이 부끄러움을 모르기 때문에 그 모든 망국적인 일들을 다 연출해낸다. 박정희의 군사쿠테타와 유신독재, 전두환-노태우 일당들의 신군부쿠테타와 군사독재, 김현철, 김홍일, 이명박, 최순실, 박근혜의 국정농단사태들이 바로 그것을 말해주고, 또한 '이게 나라냐?'라는 자조적인 한탄의 목소리들이 바로 그것을 말해준다.

박근혜 탄핵 이후, 전국민의 폭발적인 성원과 그 지지 속에 탄생한 문재인 정권─. 하지만, 그러나 문재인 정권의 5대공약, 즉, 표절, 탈세, 병역기피, 위장전입, 부동산투기자들을 임용하지 않겠다는 공약에 발목이 잡혀 취임 한 달이 지났는데도 교육부 장관, 국방부 장관, 법무부 장관, 검찰총장 등의 후보자조차도 내정을 하지 못하고 있다. 이처럼 망국의 수렁은 넓고도 깊다. 요컨대 "죽는 날까지 하늘을 우러러/ 한 점 부끄럼이 없기를" 바랄 그 별, 즉, 대한민국이 없는 것이다.

"대한민국, 네가 도깨비냐? 나라냐?"

나는 한 사람의 사상가로서 문재인 대통령에게 이렇게 충고를 하고자 한다.

하루바삐 모든 내각의 후보자들을 정하고, 그 후보자들로 하여금 지난 날의 과오를 진심으로 참회를 하게 하라! 최소한도의 재산만을 남기고 전재산을 국가에다가 헌납하게 하고, 삼천리 금수강산에 쓰레기 하나 없도록 기초생활질서를 확립하고, 독서중심의 글쓰기 교육으로 세계적인 대사상가와 대예술가를 배출해내겠다고 약속하게 하라!

하나를 보면 열을 알 수가 있듯이, 문재인 대통령과

박근혜 대통령과의 차이—즉, 인사정책의 실패—는 종이 한 장의 차이도 안 된다.

문재인 대통령이여, 아직도 그대는 필리핀의 두테르테의 고귀함과 위대함—, 즉, 난세를 치세로 바꾸는 그 통치술을 이해하지 못하고 있는가?

오오, 망국의 초고속 열차를 탄 우리 한국인들이여!

'주입식 암기교육-표절-대사기꾼의 탄생.' 이 '저주의 덫'에서 우리 한국인들을 구원해낼 수 있는 사람은 나밖에 없다.

우리 한국인들이여, 대통령의 자리를 나에게 통째로 넘겨다오!

내가 우리 대한민국을 최고의 일등국가로 육성해낼 것이다.

김종삼

북치는 소년

내용 없는 아름다움처럼

가난한 아이에게 온
서양 나라에서 온
아름다운 크리스마스카드처럼

어린 羊들의 등성이에 반짝이는
진눈깨비처럼

북은 타악기이며, 북을 친다는 것은 이 세상에서 가장 사악한 악마를 몰아내거나 마음을 정화시키고 희망을 노래한다는 것이 된다. 희망은 미래의 목표가 되고, 이 미래의 목표가 있는 한, 우리 인간들은 그 어떠한 고통도 참고 살아갈 수가 있다. 김종삼 시인의 「북치는 소년」은 미래의 꿈나무이며, 그 소년은 그의 희망이라는 열매를 수확하게 될 것이다.

하지만, 그러나 「북치는 소년」은 "가난한 아이에게 온/ 서양 나라에서 온/ 아름다운 크리스마스카드"의 그림에 지나지 않는다. 절대빈곤과 기아선상에서 헤매고 있는 한국의 현실에서 그 그림은 "내용 없는 아름다움처럼" 공허한 환상 속의 그림에 지나지 않는다.

물이 있어도 마실 수가 없고, 떡이 있어도 먹을 수가 없다. 가난은 인간을 질식시키고, 가난은 예술을 질식시킨다. 절대빈곤, 즉, 이 세상에서 먹고 살 방법이 없다는 것처럼 무섭고 끔찍한 재앙은 없다.

김종삼 시인은 서양의 선교사들이 보내온 '크리스마스 카드'를 보면서, 하루바삐 이 가난을 극복하지 않고는 그 어떤 예술도 소용이 없다는 것을 역설하고 있었던 것인지도 모른다.

「북치는 소년」은 탐미주의, 혹은 예술지상주의자인 김종삼 시인의 걸작품이며, '가난 극복'이라는 희망을 이처럼 아름답고 환하게 역설하고 있었던 것이다.

'내용 없는 아름다움'을 아름다운 삶 자체로 승화시키고, 이 「북치는 소년」은 영원한 생명력을 얻게 되었던 것이다.

이 세상에 예수처럼 가련하고 불쌍한 존재가 있을까? 오늘도 예수는 십자가에 목박혀 피투성이가 된 채 죽지도 못한다.

이 사악하고, 또, 사악한 기독교놈들아!

이제 예수 좀 그만 괴롭히고 편히 잠들게 하라!

천양희
새벽에 생각하다

　새벽에 홀로 깨어 있으면 노틀담의 성당 종탑에 새겨진 '운명'이라는 희랍어를 보고 「노틀담의 곱추」를 썼다는 빅토르 위고가 생각나고 연인에게 달려가며 빨리가고 싶어 삼십분마다 마부에게 팁을 주었다는 발자크도 생각난다 새벽에 홀로 깨어 있으면 인간의 소리를 가장 닮았다는 바흐의 무반주 첼로가 생각나고 너무 외로워서 자신의 얼굴 그리는 일밖에 할 일이 없었다는 고흐의 자화상이 생각난다 새벽에 홀로 깨어 있으면 어둠을 말하는 자만이 진실을 말하던 파울 첼란이 생각나고 좌우명이 진리는 구체적이다라던 브레히트도 생각난다 새벽에 홀로 깨어 있으면 소리 한 점 없는 침묵도 잡다한 소음도 훌륭한 음악이라고 한 존 케이지가 생각나고 소유를 자유로 바꾼 디오게네스도 생각난다 새벽에 홀로 깨어 있으면 괴테의 시에 슈베르트가 작곡한 「마왕」이 생각나고 쉴러의 시에 베토벤이 작곡한

「환희의 송가」도 생각난다 새벽에 홀로 깨어 있으면 마지막으로 미셸 트루니에의 묘비명이 생각난다 "내 그대를 찬양했더니 그대는 그보다 백배나 많은 것을 내게 갚아 주었도다 고맙다 나의 인생이여"

 ― 천양희 시집, 『새벽에 생각하다』에서

📖

천재란 대단히 뛰어나고 훌륭한 두뇌와 그 재주를 지닌 사람을 말하며, 그는 선천적으로 홀로 살 수밖에 없는 사람을 말한다. 비극의 진수는 고독이고, 이 고독은 천재의 보증수표가 된다. 천재는 친구가 있을 수가 없는데, 왜냐하면 그와의 진정한 대화를 나눌 수 있는 사람이 없기 때문이다. 모든 문제를 인류 전체와 그가 살고 있는 세계와 관련시켜 이해하고, 또, 그것을 인간과 인간의 관계로 생각할 줄 아는 그의 사고법을 대다수의 인간들은 도저히 이해할 수가 없기 때문이다. 빅토르 위고와 발자크와 바흐가 그렇고, 고흐와 파울 첼란과 브레히트가 그렇다. 존 케이지와 디오게네스와 괴테가 그렇고, 슈베르트와 베토벤과 미셀 트루니에가 그렇다. 천재란 시대를 앞서 가는 단 한 사람이며, 이 단 한 사람에게 있어서의 '우정'이란 한낱 공허한 헛소리에 지나지 않는다.

천재는 고독해야 하고, 이 고독 때문에 그토록 처절하게 괴로워하지 않으면 안 된다. 이 괴로움이 고독의 생산성으로 나타나고, 그 구체적인 증거가 '노틀담의 꼽추', '바흐의 무반주 첼로', '고흐의 자화상', '파울첼란과 브레히트의 시', '존 케이지의 음악', '디오게네스의 자유', '괴테의 마왕', '베토벤의 환희의 송가', '미셀 트루니에의 묘비명'이라고 할 수가 있다. 천재란 태어나는 것이 아니라 느닷없이 출현한다. 새벽이란 날이 밝을 무렵이고 하루의 시작이지만, 그러나 천양희 시인의 「새벽에 생각하다」의 '새벽'이란 새로운 세상을 창조하기 위한 새벽이라고 할 수가 있다. 그는 빅토르 위고의 운명도 생각해보고, 발자크의 연인에 대한 사랑의 강도도 생각해본다. 바흐의 무반주 첼로도 생각해보고, "너무 외로워서 자신의 얼굴 그리는 일밖에 할 일이 없었다는" 고흐도 생각해본다. 나치 치하의 유태인으로서 그 비극적 진실을 말할 수밖에 없었던 파울첼란의 시, 현실주의의 대가인 브레히트의 시와 연극, 소유를 자유로 바꾼 디오게네스의 철학, 마왕을 작곡한 슈베르트, "침묵도 잡다한 소음도 훌륭한 음악이라고 한 존 케이지", "내 그대를 찬양했더니 그대는 그

보다 백배나 많은 것을 내게 갚아 주었도다 고맙다 나의 인생이여"라고 노래했던 미셸 트루니에 등—. 이 모든 인간들은 천양희 시인의 「새벽에 생각하다」에서 새롭게 탄생한 고산영봉들이라고 하지 않을 수가 없다. 모든 천재들이 천하의 절경으로 피어나고, 따라서 자아를 망각한 황홀함으로 온몸에 소름이 돋아나게 하고 있다고 하지 않을 수가 없다. 더없이 거룩하고 더없이 경건해지는 시간이며, 언제, 어느 때나 삶의 기쁨이 샘솟아나오는 천재의 시간이라고 하지 않을 수가 없다.

단 한 사람의 친구도 없는 천재, 고독 때문에 그토록 괴로워하면서도 그 고독의 생산성을 사랑할 수밖에 없었던 천재, 어느날 갑자기 밤하늘에 새로운 별이 나타나듯이, 느닷없이 미래의 시간대에서 출현한 천재—. 이 천재는 현실의 모든 친구들을 잃었지만, 이처럼 새벽에 홀로 깨어 있으며, 시간과 공간을 초월하여 수많은 천재들과 대화를 나누며, 그들의 고귀함과 위대함을 자기 자신의 붉디 붉은 피로 변모시킨다. 최고급의 격세유전이며, 신진대사의 교체는 원활해지고, 언제, 어느 때나 역동적인 삶이 전개된다.

홀로 있다는 것은 혼자 깨어 있다는 것이고, 혼자 깨

어 있다는 것은 시대를 앞서간다는 것이다. 시대를 앞서 간다는 것은 그 어떠한 비굴한 굴종이나 타협도 없이 자기 자신의 길을 걸어가겠다는 것이고, 자기 자신의 길을 걸어가겠다는 것은 그의 운명을 새롭게 창출해내겠다는 것이다. 그는 가치의 창조자이며, 모든 사건과 사고들의 심판자이고, 전 인류의 아버지(스승)이다. 부디 부디 수많은 천재들과 대화를 나누고, 고귀하고 위대한 천재의 피를 생산해내거라! 부디 부디 새벽에 홀로 깨어 새로운 세상을 열고 그 무엇이 행복인지도 모르는 이 세상의 어중이 떠중이들을 구원해내거라! 부디 부디 "너무 외로워서 자신의 얼굴 그리는 일밖에 할 일이" 없을지라도 그 운명을 사랑하고, 그 천재의 운명으로 최고급의 인생찬가를 불러보라!

모든 시는 인생찬가이며, 우리는 모두가 다같이 자기 자신의 행복의 연주자일 수밖에 없다.

찬양하고, 또 찬양하라!

천양희 시인의 「새벽에 생각하다」는 천재의 시간이며, 최고급의 인생찬가라고 할 수가 있다.

정호승
지옥

지옥은 아직 텅 비어 있다고 한다
지옥에는 아직 아무도 살지 않는다고 한다
내가 죽어 최초로
지옥에 가서 살게 될까봐 두렵다

— 정호승 시집, 『나는 희망을 거절한다』에서

📖

　이 세상에서 가장 우수한 인간과 그 인간들이 모여
사는 나라가 영원한 제국을 이루고, 이 영원한 제국
의 인간들이 이 세계를 지배하게 된다. 우수하다는 것
은 첫째, 최고급의 지혜를 지녔다는 것을 뜻하고, 우
수하다는 것은 둘째, 최고급의 도덕성을 지녔다는 것
을 뜻한다.

　우수한 인간이 시대를 앞서가면 모든 인간들이 따
라가고, 우수한 인간이 그의 모든 지혜를 다 나누어주
면 모든 인간들이 스스로, 자발적으로 충성을 맹세하
게 된다.

　사상(지혜)은 우수한 인간의 생명이며, 이 사상은 전
인류를 감동시킬 수 있는 도덕성의 회로를 따라 자전
과 공전을 되풀이 한다.

　사상은 도덕이다.

　이 도덕은 "내가 죽어 최초로/ 지옥에 가서 살게 될

까봐 두렵다"라는 정호승 시인의 마음과도 같다.

　오오, 대한제국이여!

　오오, 대한제국이여!

신대철
우리들의 땅

"x제국주의자들을 물러가게 하라! x제국주의자들의 앞잡이인 x도당들의 독재를 때려 부수어라!"

"자유없이는 행복도 없습니다. 자유는 제2의 생명입니다. 주저하지 말고 야음을 통해 비무장지대로 몸을 숨겼다가 날이 아주 밝아졌을 때 국군 초소로 오십시오. 총구를 땅에 향하고 흰 헝겊이 있으면 흔드십시오."

풀어진 몸, 김이 모락모락 난다,
낡은 지뢰탐지기를 선두로
도로정찰조가 돌아온다
조금 비 개인 날,
모래들은 산 밑에 하얗게 씻겨 있다. 강물굽이를 돌아나온 놀란 물새떼, 안개를 강가로 몰며 하나씩 안개 속으로 사라진다.

그날밤 늦게 남방한계선 철책문을 열고 들어섰을 땐 뻑뻑하여 말 안 듣던 팔 다리, 열쇠 채우는 소리 땜에 앞으로 앞으로만 내디뎌야 했다. 총뿌리를 정신없이 돌리다 보면 바람 소리, 작은 밤짐승, 안개 자욱히 밀리는 소리, 별똥이 시끄럽게 떨어지고 있었다. 지뢰표 지판이 길을 안내하며 좁혀 들고 있었다. 결승전 스포츠중계 같이 열띤 어조로 밤새 방카와 골 속까지 뒤흔들던 대남방송 스피커 소리, 되풀이, 막 펼쳐진 아침밥 짓는 연기에 젖어도 부드럽게 들리지 않던 그 억양.

또 무지개가 뜬다, 둥그런 무지개
저 둘레 속으로 뛰어들고 싶구나.
강기슭에서 은은히 피어 올라
군사분계선을 덮고
산과 산 사이를 까마득히 잠겨 놓은 안개가
제 몸을 비틀어 짜내 띄워 놓은 무지개
유난히 빨강 파랑이 두드러진 저 무지개 속엔
어른어른 그림자가 비친다.

무지개는 누구의 혼인가? 저 자리서 죽은 자와 죽은 자를 기다린 자가 이제 만나 손잡고 輪舞를 즐기는가? 왜 저 자리서만 떠야 하는가? 자세히 보면 볼수록 내가 볼 땐 내 그림자만 네가 볼 땐 네 그림자만, 이상하다, 우리들이 한데 어울려 박자를 맞추려 하는 동안 갑자기 춤은 멎고 다시 한 겹 벗겨지는 안개,…… 강물은 푸르다. 저 푸름이 온 산에 가득 안개를 씌우는 걸까? 강물은 우리들의 군화를 적시며 흐르기만 했다. 끊임없이. 바람이 잔 물결을 이리저리 몰고 다니며 쓸어 낼수록 더욱 푸른 물가엔 조용히 물고기떼들이 나와 놀고 있었다. 마주, 중태기, 꽃붕어, 징거미, 아 山고기. 불길하다. 잡으면 꼭 놓아 줘야하는 山고기, 불길하다. 하필 이 강에 山고기가 그리 많을까? 좀 깊은 물 속에선 무릎이 떨어지고 가랑이가 찢어진 군복하의들이 물이끼에 감춰져 있고 쭈그러진 수통, 뼈들. 녹슨 쇠붙이며 탄피, 종이돈, 각종 불발탄들. 화약낸지 풀낸지 가려내기 어려운 고리타분한 냄새들이 발길에 채어 흩어지곤 했다. 불내, 어디선가 불내가 난다. 후욱 끼쳐오는 불내, 불똥이 튀기고 토끼 노루똥이 젖은 채 타는 냄새. 탁 타닥 나무껍질 타는 소리, 실탄 터지는 소리,

거무튀튀했다. 연기 속에 날름날름거리던 불길, 순식
간에 山 하나를 잡아먹고 꿈틀거리며 북방한계선 목책
있는 데로 불쑥 방향을 틀던 불길. 시뻘겋게 솟구쳐오
른 불꽃. 하나 둘 셋 넷 불꽃에 흠뻑 취해 있을 때 쾅
쾅, 쾅쾅, 산산조각 나던 우리들.

　멀리서 들리는 다이나마이트 터지는 소리
　山, 山, 山, 軍隊
　몇 조각 구름들이 뭉쳐서 山 밖으로 몰린다.
　능선들은 시퍼렇게 위장되어 까져 있고
　토굴 속에 들어가선 나오질 않는 군용차들,
　모래 운반차? 군용차? 그리고 무슨 차들일까?
　아침엔 구보병력이 보이고 연달은 기합, 조포훈련,
　소리 치면 한번 이상 응답하지 않는 사람들.

　바람이 분다. 바람이 분다
　우리들 옆 GP엔 나지막한 山들
　싱싱하게 깃발이 펄럭거린다.
　깃발이 살아 있었구나, 우리들 말고 깃발도 살아 있
었어…… 친구여, 보고 싶다. 2km 내의 너를 만나는

데 6개월론 모자르구나. 네 앞산 우물길에 사람이 나타나 있다. 우중충하다. 사람, 무장된 사람. 간밤 총소리는 오발이라구? 자발적이었다구? 늘 들어도 네 목소리가 그립구나. 山도 배경으로 만들고 싶다. 고집도 가려진 네 얼굴, 코마저 작게 보인다. 포대경에 잡히는 허탈하고 어색하게 웃는 네 얼굴. 나무들이 점차 가을로 돌아서는 것도 잊고 딸딸이를 들고 포대경을 들고 마주보며 바보같이 웃는 우리들. 生이란 무엇일까? 적? 죽음이란? 적? 땅이란? 이념이란?

잠을 좀 자야 한다.
총을 휴대한 사람들에겐 꿈이 차례가 오지 않는 잠,
며칠째 개꿈도 들지 않는다. 신경만 뿌릴 잡는다. 물차는 아직 오지 않고 있다. 담배 한 대, 자기 매질, 무조건 용서, 무조건 체념, 꿈이 갖고 싶다.

초가집이 두어 채 양지 쪽에 쓰러져 있다.
그 옆에 황색 팻말이 주위를 황색으로 물들인다.
팻말이 군사분계선을 말해 주고 있을 뿐,
낯익은 풀꽃들이 팻말에 기대어 피어 있었다. 山길

은 강 가까이 이를수록 희미했다. 마을 골목터엔 박쥐가 날고 웬일로 울지 않은 매미, 매미는 사람 있는 마을에서 사람을 보며 우는가? 이 마을 사람들은 신발과 밭을 버려두고 나룻배를 부숴 놓고 지금 어디서 무얼 하는가? 갈대밭이 된 과수원, 봄이면 갈대밭에 흐드러지게 피는 복사꽃, 아아, 우리들과 여기서 임시 헤어진 자여, 내내 무사하라.

　무사하라, 발목이 떨어져 지뢰밭에 뒹굴던 얼굴들
　몇 푼의 휴가비를 만지작거리며 혹은 흔들던 웃음들
　맞출 수 없이 흩어진 사진 조각들, 편지 글귀들
　죽어서 지뢰표지판 하날 남긴 사람들
　죽어서 오래오래 잠들 수 있고 오래오래 무사한 사람들

　제대 특명을 기다리며 군대 때가 묻은 생각들을 산병호에 강 쪽에 내버리며 햇빛 쐬던 고참병들도 보급차 편에 사라진다.
　산병호에 어둠이 스며든다.
　깊은 한밤에만 사람이 다니는 길,
　山길 도처에 조명지뢰를 설치하며 클레이모어 위치

를 확인하는 사이 우리들은 어느새 軍人이 되어 있다, 완전한

　　하루가 가고

　　갈라진 땅에서 또 하루

　　스스로 갈라진 군대로 만나는 우리들, 한국인들.

　— 신대철 시집, 『무인도를 위하여』에서

📖

　동물의 세계에 있어서나 인간의 세계에 있어서나 자기 땅– 자기 영토를 지키지 못하면, 그 민족은 자기 자신의 존재의 정당성을 잃어버리고 이민족의 노예가 되어 그 비극적인 일생을 마치게 된다. 우리 한국인들은 수천 년 동안이나 자기 땅–자기 영토를 지키지 못하고, 자기 스스로 강대국을 섬기는 노예민족의 운명을 선택한 바가 있다. 사대주의事大主義는 노예민족의 사상이며, 이 사대주의를 신봉하고 있는 한, 우리 한국인들은 자기 스스로 자기 자신의 운명을 결정하지 못한다. 남북이 분단된 지도 70여 년이 지났지만, 아직도 남북통일의 꿈은 요원하기만 하고, 소위 4대 강국의 눈치만을 살피고 있는 실정이기도 한 것이다. "x제국주의자들을 물러가게 하라! x제국주의자들의 앞잡이인 x도당들의 독재를 때려 부수어라!" "자유없이는 행복도 없습니다. 자유는 제2의 생명입니다. 주저하지 말고 야음을 통해 비무장지대로 몸을 숨겼다가 날이 아주 밝아졌을 때 국군 초소로 오십시오. 총구를 땅에 향하고 흰 형겊이 있으면 흔드십시오.""나무들이 점차 가을로 돌아서는 것도 잊고 딸딸이를 들고 포대경을 들고 마주보며 바보같이 웃는 우리들", "총을 휴대한 사람들에겐" "개꿈도 들지 않는" 우리들의 땅, "발목이 떨어져 지뢰밭에 뒹굴던 얼굴들/ 몇 푼의 휴가비를 만지작거리며 혹은 흔들던 웃음들/ 맞출 수 없이 흩어진 사진조각들, 편지 글귀들/ 죽어서 지뢰표지판 하날 남긴 사람들/ 죽어서 오래오래 잠들 수 있고 오래오래 무사한 사람들", "山길 도처에 조명지뢰를 설치하며" "하루가 가고/ 갈라진 땅에서" "스스로 갈라진 군대로 만나는" 우리 한국인들의 남북현실이 바로 그것을 말해준다.

신대철 시인의 「우리들의 땅」은 한국시문학사상 가장 아름답고 뛰어난 산문시이며, 남북분단의 현실에서 최전방의 현역장병의 눈으로 '무지개빛 통일의 꿈'을 노래한 시라고 할 수가 있다. "결승전 스포츠중계 같이 열띤 어조로 밤새 방카와 골 속까지 뒤흔들던 대남방송 스피커 소리" 속에서도 "무지개는 누구의 혼인가? 저 자리서 죽은 자와 죽은 자를 기다린 자가 이제 만나 손잡고 輪舞를 즐기는가?"라는 시구 속에는 얼마나 남북통일을 기원하는 현역장병의 꿈이 담겨 있는 것이고, 또한, "하루가 가고/ 갈라진 땅에서 또 하루/ 스스로 갈라진 군대로 만나는 우리 한국인들"이라는 시구 속에는 얼마나 남북통일을 기원하는 신대철 시인의 꿈이 담겨 있는 것이란 말인가? 신대철 시인의 「우리들의 땅」은 너무나도 슬프고 너무나도 아름다운 시라고 하지 않을 수가 없다. 너무나도 슬프다는 것은 동족상잔의 비극(분단현실의 비극)에 맞닿아 있고, 너무나도 아름답다는 것은 '무지개빛 통일의 꿈'에 맞닿아 있다. 한국시문학사상, 이처럼 대단히 깊이가 있고 지적인 시도 없었고, 또한 그 인식의 힘을 이처럼 가장 정교하고 세련된 문장으로 쓴 시인도 없었다. 현실(남북분단)에서 환상(남북통일)으로, 환상에서 현실로 자유자재롭게 넘나들며, 그 비극적인 대단원의 막을 내리는 「우리들의 땅」은 아직도 내 가슴을 뛰게하고, 대한민국의 영원한 명시로서 내 마음을 사로잡고 있다.

사실 따지고 보면, 오늘날의 독일에서 보듯이, 남북통일처럼 더 쉽고 간단한 문제도 없다. 이 세상에서 그 어떤 국가도, 그 어떤 민족의 지도자도 우리 한국인들의 '남북통일'을 그토록 노골적으로 반대할 수는 없다. 따라서, 소위 4대 강대국들과 그 지도자들의 너무나도 사악하고 교활한 야욕을 꿰뚫어보고, 그들보다 더 뛰어난 외교전략을 구사할 수 있으면 된다. 남북통일은 너무나도 쉽고 간단하며, 전인류를 감동시킬 만큼의 대의명분도 우리가 갖고 있다. 문제는 오랜 시간과 돈이며, 좀 더 솔직하게 말한다면 트럼프와 아베와 시진핑과 푸틴의 지식을 단숨에 돌대가리들의 그것으로 만들 수 있는 세계적인 지도자의 출현이라고 하지 않을 수가 없다. 남북통일의 문제는 인간의 지적 능력의 문제이고, 좀 더 정확하게 말한다면 알렉산더 대왕과 나폴레옹 황제 같았으면 벌써 남북통일을 이룩하고, 우리 대한민국의 정신으로 전세계를 정복했을 것이다.

"나무들이 점차 가을로 돌아서는 것도 잊고 딸딸이를 들고 포대경을 들고 마주보며 바보같이 웃는 우리들", "총을 휴대한 사람들에겐" "개꿈도 들지 않는" 우리들의 땅—. 하지만, 그러나 주입식 암기교육이 있는 한 대한민국은 영원히 남북통일을 이룩한 주권국가가 될 수 없다. 왜냐하면 독서중심의 글쓰기 교육은 성장촉진제이지만, 주입식 암기교육은 발육중단제(성장억

제제)이기 때문이다. 독서중심의 글쓰기를 하면 알렉산더 대왕과 나폴레옹 황제가 출현하지만, 주입식 암기교육을 하면 이명박과 박근혜와 최순실과 박정희 등이 출현한다. 남북통일을 이룩하려면 미국, 일본, 중국, 러시아 등보다도 더 뛰어난 천재(영웅)가 필요하지만, 주입식 암기교육은 영원한 바보와 영원한 어린아이만을 생산해내게 된다. 우리 한국인들의 주특기는 뇌물요리와 좀도둑질과 그리고 표절이라고 할 수가 있다. 요컨대 대한민국의 건국이념은 부정부패이고, 그 이념의 국방정책은 사대주의이다.

대국을 잘 섬겨라! 그러면 영원한 분단국가의 노예가 될 것이다.

김대중 대통령이 미국에 소환되어갔을 때, 부시가 'this man'이라 불렀고, 노무현 대통령에게는 'easy man'이라고 불렀다. 전자는 막말로, "이 새끼, 왜 헛소리해 쫌"이 될 것이고, 후자는 "이 노예새끼 죽여버릴거야 쫌"이 될 것이다. 사대주의와 부정부패가 건국이념인 한국놈들아, 너희들이 언제 인간 대접을 받을수가 있겠니?

일본이 패망하지 않았더라면 우리 한국인들도 해마다 노벨상을 타고, 전인류의 존경을 받는 일본인이 되었을 것이다. 뇌물로 밥먹고, 뇌물로 숨쉬며, 표절로 출세하는 너희들이 쓰레기이지, 인간이냐? 도대체 일본을 욕할 자격이나 있니? 당장 전국의 소녀상부터 철거하거라! 이 못난 노예놈들아!

우리 대한민국의 건국시조는 뇌물이다. 뇌물의 이름만 들어도 전국민이 만장일치로 무릎을 꿇고 큰절을 올린다.

날마다 뇌물의 축제이고, 전국토가 뇌물의 성지이다.

박남철

獅子

— 모교의 교정에서

내 앞발에 박힌
이 깊숙한 가시를

핥다가 나는 이따금
부릅뜬 눈을 들어, 핥
야 이 개새애끼들아

내 머리, 오 이 구름같은 불

내 머리 내 이 머리에 온통 뒤덮인
이 저주받은 이 성난 갈기, 핥

야 이 개애자식들아아아
— 박남철 시집, 『지상의 인간』에서

📖

   이성복과 황지우와 박남철은 이상의 후배 시인들로
서, 그들은 모더니즘의 세례를 받은 시인들이기도 했
지만, 그러나 이상 이후, 그 어느 시인들보다도 초현실
주의의 사상과 기법을 받아들인 시인들이라고 할 수가
있다. 자유연상과 자동기술의 기법은 물론, 그들의 풍
자와 해학을 통한 기지, 반어, 역설, 언어유희 등은 개
인의 자유와 인간해방을 간절하게 꿈꾸었던 1980년대
의 시대정신과 맞물려서, 1980년대를 '시의 시대'로 이
끌어 나갔던 장본인들이었다고 하지 않을 수가 없다.
나무 위로 날아오르는 것은 다 새가 아니라는 것, 잔
디밭 잡초를 뽑아내는 여인들이 자기 자신의 삶까지도
솎아낸다는 것, 집 허무는 사내들이 자기 자신의 하늘
까지도 무너뜨린다는 것, 노인과 便痛의 다정함 속에
몇 건의 교통사고와 몇 사람이 죽었지만, 아무도 그날
의 신음 소리를 듣지 못했다는 것, 따라서 모두들 병

들었는데 아무도 아프지 않았다는 것이 「그날」의 가장 핵심적인 전언이라면, 이성복 시인의 자유연상과 자동기술의 속도감 속에는 한국사회 전체가 속속들이 병들었다는 가장 파격적이고 충격적인 진단이 그의 풍자와 해학을 통한 기지, 반어, 역설, 언어유희 속에 담겨 있다고 할 수가 있는 것이다. 황지우의 「한국생명보험회사 송일환씨의 어느 날」도 마찬가지이고, 박남철의 「사자 —모교의 교정에서」도 마찬가지이다. 황지우와 박남철은 신문기사와 텔레비전 보도내용, 유행가의 가사와 시정의 잡배들의 온갖 욕설과 은어와 비어와 사투리까지도 가장 적극적으로 활용했던 시인들이며, 그들 역시도 대한민국을 대표하는 전위주의자들이었다고 할 수가 있는 것이다.

풍자는 사회적인 죄악상을 가장 날카롭게 비판하는 것을 말하고, 해학은 그 날카롭고 예리한 비판을 너무나도 유머러스하게 희화화시켜 놓는 어떤 것을 말한다. 풍자와 해학은 반드시 기지, 반어, 역설, 언어유희 등으로 나타나게 되고, 따라서 그 주체자들은 인간의 의식과 무의식을 자유 자재롭게 넘나드는 것은 물론, 과감한 형태파괴적인 시들을 낳게 된다. 시적인 것은 아무 것도 없고, 非시적인 것만이 있다. 아니, 非시적인 것은 아무 것도 없고 시적인 것만이 있다. 그들이 모두가 다같이 서투른 공산주의자가 되기보다는 주제와 소재, 또는 의식과 무의식의 측면에서 전적으로 자유로운 초현실주의자가 되었던 까닭이 바로 여기에 있는 것이다. 기지란 그때 그때의 상황에 따라서 재빨리 발휘되는 재치를 뜻하고, 반어란 본뜻과는 반대되는 말을 함으로써 문장의 의미를 강화하는 방법을 말한다. 역설이란 '지는 것이 이기는 것이다'라는 말에서처럼, 표현상이나 상식적으로는 전적으로 모순되는 말이기는 하지만, 실질적인 진리를 나타내는 말을 뜻하고, 언어유희란 그야말로 말놀이와 말잔치를 뜻한다. 황지우의 「한국생명보험회사 송일환씨의 어느 하루」에서의 대도둑의 절도품목들은 거꾸로 그 대도둑보다는 그러한 고가의 사치품들을 소유하고 있는 특수한 부유층들의 그 도덕적인 부패와 타락한 현실을 보여주고 있는 시라고 할 수가 있다. 시적 화자는 일체의 사적인 감정을 숨기고 그 보편적이고 객관적인 시선으로 그 절도품목들을 제시해놓고 있지만, 그러나 바로 그 순간에, 극적인 반전이 일어나게 된다. 왜냐하면 그 사치품목들은 대부분의 일상인들에게는 접근불가의 대상들이며, 따라서 그 특수한 부유층들의 부도덕성만이 드러나게 되고 있기 때문이다. 대한민국은 너무나도 위대한 '재灰의 왕국'이고, 이 땅의 소시민들은 매우 살아가기가 어렵다는 것이 황지우의 시적 전언이기도 한 것이다.

박남철의 「사자 —모교의 교정에서」라는 시는 '모교'라는 곳이 사자의 웅대한 기상과 그 화려한 꿈을 심어주기보다는 그 어린 사자의 앞발에 도저히 뽑아낼 수 없는 가시를 박아놓았다는 '분노'를 표현해보인 시라고 할 수가 있다. 학교는 백만 두뇌를 양성하는 곳도 아니고, 자유와 평등과 사랑을 가르쳐 주는 곳도 아니다. 또한 학교는 진리를 탐구하는 곳도 아니고, 전인교육을 가르쳐 주는 곳도 아니다. 학교는 오직 값비싼 등록금이 자라나는 곳이고, 또한, 스승이라는 밀렵사냥꾼들이 무소불위의 권력을 휘두르고 있는 곳이다. 학교는 선후배들의 一刀必殺의 劍法이 자라나는 곳이고, 또한, 자기가 자기 자신의 양심의 뒷통수를 치는 厚顔無恥의 秘法이 자라나는 곳이다. 오늘날의 학교는 학생들을 위한 학교가 아니라 밀렵사냥꾼들의 사냥의 터전이라는 것이 박남철의 가장 날카롭고 충격적인 전언이라고 하지 않을 수가 없는 것이다. "내 앞발에 박힌/ 이 깊숙한 가시를// 핥다가 나는 이따금/ 부릅뜬 눈을 들어, 핥/ 야 이 개애새끼들아아"라는 시구나, "내 머리, 오 이 구름 같은 불/ 내 머리 내 이 머리에 온통 뒤덮힌/ 이 저주받은 이 성난 갈기, 핥// 야 이 개애자식들아아아"라는 시구에서처럼, 그의 문장은 완성됨을 모르고, 그 완성되지 않은 파열음을 토해내며, 그 분노의 대명사인 그 거친 욕설들이, 마치, 활화산처럼 타오르고 있는 것이다. 이상, 이성복, 황지우, 박남철 시인은 모든 환자들의 질병을 치료해주는 현자(의사)의 모습으로 등장할 때도 있지만, 대부분의 제일급의 시들은 때로는 너무나도 뻔뻔스럽고 파렴치한 탕자들을 등장시켜 놓고 있다고 하지 않을 수가 없다. 그들의 전위주의는 대한민국의 해체를 겨냥하는 한편, 또한, 자기 자신들의 생명의 해체까지도 겨냥하고 있었던 것이다. 형식의 파괴는 자기 자신의 파괴이며, 자기 자신의 파괴는 형식의 파괴이다. 아니, 형식의 파괴는 새로운 형식의 창조인 것이고, 자기 자신의 파괴는 또다른 '나'의 탄생이기도 한 것이다(반경환, 「전위주의: 삶과 죽음을 넘어선 선구자들」, 『비판, 비판, 그리고 또 비판』2).

　　오늘날 우리 한국인들 중에서 하버드대학교와 예일대학교와 프린스턴대학교 등, 미국의 명문대학교로 유학을 갔다온 학자들은 수없이 많다고 할 수가 있다. 하지만, 그러나 이 수많은 학자들이 대한민국의 모든 요직을 독점하고 있으면서도 미국 명문대학교의 '천재생산의 교수법'을 역설하는 학자는 단 한 명도 없고, 오히려, 거꾸로 이 세상 그 어디에도 없는 '주입식 암기교육'의 열광적인 찬양자가 되어가고 있는 것이다.

　　'주입식 암기교육―표절―대사기꾼의 탄생'―. 이 '저주의 덫'은 단 한 치의 오차도 없는 수학적 공식과도 같다. 아아, 어쩌다가 그토록 오랜 시간 동안, 그토록 엄청난 유학비를 쏟아붓고도 '영원한 바보'가 되어 돌아왔단 말인가? 아아, 어쩌다가 자기 자신이 영원한 바보(영원한 낙제생)라는 사실을 은폐한 채, 또다시 '영원한 바보'들만을 양산해내는 민족의 반역자가 되었단 말인가? 독서와도 무관하고, 철학공부와도 무관한 '주입식 암기교육'을 받으면, 그 민족은 가장 확실하게 못쓰게 되고, 영원한 이민족의 노예가 된다.

우리 한국인들은 외면적으로는 '백수의 왕'인 사자의 기상을 타고 났지만, '주입식 암기교육－표절－대사기꾼의 탄생'이라는 '저주의 덫'에 걸린 사자의 새끼들에 지나지 않는다.

　표절대통령, 표절국회의장, 표절대법원장, 표절대학총장, 표절교육부장관, 표절국민작가!!

　　내 머리, 오 이 구름같은 불

　　내 머리 내 이 머리에 온통 뒤덮인

　　이 저주받은 이 성난 갈기, 핥

　　야 이 개애자식들아아아

기형도

홀린 사람

사회자가 외쳤다

여기 일생 동안 이웃을 위해 산 분이 계시다

이웃의 슬픔은 이분의 슬픔이었고

이분의 슬픔은 이글거리는 빛이었다

사회자는 하늘을 걸고 맹세했다

이분은 자신을 위해 푸성귀 하나 심지 않았다

눈물 한 방울도 자신을 위해 흘리지 않았다

사회자는 흐느꼈다

보라, 이분은 당신들을 위해 청춘을 버렸다

당신들을 위해 죽을 수도 있다

그분은 일어서서 흐느끼는 사회자를 제지했다

군중들은 일제히 그분에게 박수를 쳤다

사내들은 울먹였고 감동한 여인들은 실신했다

그때 누군가 그분에게 물었다, 당신은 신인가

그분은 목소리를 향해 고개를 돌렸다

당신은 유령인가, 목소리가 물었다

저 미치광이를 끌어내, 사회자가 소리쳤다

사내들은 달려갔고 분노한 여인들은 날뛰었다

그분은 성난 사회자를 제지했다

군중들은 일제히 그분에게 박수를 쳤다

사내들은 울먹였고 감동한 여인들은 실신했다

그분의 답변은 군중들의 아우성 때문에 들리지 않

았다

　── 기형도 시집, 『입속의 검은 입』에서

📖

이 세상의 삶은 고통의 연속이고, 우리 인간들은 이 고통을 벗어나기 위하여 다양한 신들과 수많은 종교들을 안출해냈다. 신은 전지전능하고 영생불사의 존재인데 반하여, 인간은 무지하고 유한한 존재에 지나지 않았기 때문이다. 전지전능한 신이 모든 고통으로부터 우리 인간들을 구원하고 우리 인간들을 영원한 천국으로 인도하여 준다는 것―, 바로 이것이야말로 영원한 진리이며, 우리 사제들의 존재의 정당성을 보증해주는 수표라고 하지 않을 수가 없다. 신은 언제, 어느 때나 선한 자의 편에 서 있으며, 이 선한 자들이 괴로워할 때 신은 모든 사악한 자들을 물리치고, 진정으로 선한 자들을 구원해 준다. 가난한 자는 복이 있다라는 말과 진심으로 뉘우치는 자는 용서해준다는 말이 바로 그것을 증명해준다. 사제는 이 전지전능한 신의 대리인이며, 오직 신을 위해서 살고 신을 위해서 그의 단 하나뿐인 목숨을 바치기로 맹세한 사람이라고 할 수가 있다.

　사제는 그의 "일생 동안 이웃을 위해 산 분"이고, 자기 자신을 위해서는 단 한 포기의 "푸성귀"도 심지를 않았다. "이웃의 슬픔은 이분의 슬픔이었고," 자기 자신을 위해서는 단 "한 방울"의 눈물도 흘리지 않았다. 당신들을 위해서 모든 "청춘을" 다 버렸고, "당신들을 위해서 죽을 수도 있다." 하지만, 그러나 사제는 그의 이마에 땀을 흘리지 않고 밥을 먹으며, 그의 신도들에게 무한한 청빈과 정숙을 강조하면서도, 자기 자신은 황금옥좌와 황금도포를 입고 그 신도들 위에 군림하는 무소불위의 위선자(권력자)에 지나지 않았다. 신이 사제를 위해서 있는 것이지, 사제가 신을 위해서 있는 것이 아니다. 당신들은 과연 전지전능한 신을 본 적이 있고, 당신들은 과연 예수의 부활을 본 적이 있는가? 당신들은 과연 부자가 가난한 자의 행복을 위하여 전재산을 다 포기한 것을 본 적 있고, 당신들은 과연 사제가 그의 신도들의 충복忠僕이 되어, 그 신도들에게 무한한 충성을 맹세하고 무릎을 꿇은 것을 본 적이 있는가? 사제의 한 마디, 한 마디의 말은 더없이 간교하고 사악한 흑주술에 불과하며, 모든 신도들—예수와 하나님마저도—은 그 흑주술에 사로잡힌 한 마리의 가엾은 희생양에 지나지 않았다. 모든 성상聖像들은 돈 몇 푼을 위해서 장인들이 만든 저질의 조각품들에 지나지 않으며, 이 저질의 조각품들을 성상이라고 가리키고 참배시키는 사제는 또한 대사기꾼에 지나지 않는다. 모든 사제의 지식은 사기 치는 도구에 지나지 않으며, 그의 한 마디, 한 마디의 말은 그의 신도들의 나약함을 파고 들어, 그들의 전재산을 약탈하는 흑주술의 말에 지나지 않는다.

일찍이 마르크스는 신의 존재를 부정하며, 종교를 '민중의 아편'이라고 역설한 바가 있었다. 아편이란 마약이며, 일시적인 환각을 위하여 수많은 중독자들을 양산해낸다. 홀린 사람은 신이 아닌 사제, 즉, 대사기꾼에 홀린 사람이며, 사제의 한 마디, 한 마디의 말을 모두 진리라고 믿는 사람이다. 가난한 사람은 복이 있다는 말도 믿고, 고문의 도구이자 사형장치인 십자가에다가 무릎을 꿇으라고 하면 무릎을 꿇는다. 사제는 신처럼 성스러운 존재라는 말도 믿고, 어떤 사람이 그 사제를 향하여 "당신은 신인가?", "당신은 유령인가?"라고 물으면 "저 미치광이를 끌어내"라고 그 적의의 화살을 쏘아댄 모든 사내들과 여인들이 바로 그것을 증명해준다. 이제 홀린 사람은 사제를 위해 살고 사제를 위해 죽는다. 그들은 전지전능한 사제를 위하여, 그들의 전재산을, 아니, 그들의 모든 정절을 다 바치며, 그 사제가 부여하는 다양한 직위를 부여받고, 그저 다만 감동으로 울고, 그 감동으로 실신한다. 목사, 장로, 권사, 집사, 선교사, 전도사, 신도회장, 구역장, 교인, 교우라는 직함 등을 무슨 무공훈장처럼 이마에 써붙이고 패거리를 지으며, 그 모든 반대파들을 다 때려잡는 십자군의 용사가 된다.

홀린 사람은 미친 사람이며, 그의 정신에 이상이 생긴 사람이다. 그의 이성은 광기가 되고, 그의 광기는 이성이 된다. 그는 하늘이 무너져내려도 사제의 말을 믿으며, 마치, 신이 그 사제에게 천벌이라도 내린다고 하면, 지금, 이 순간이라도 그 신의 목을 비틀어버릴 준비가 되어 있는 것이다. 한국의 역사와 정신은 영원한 민족의 반역자인 홀린 사람(사제-기독교인들)에 의하여 초토화되었으며, 이 홀린 사람들은 한국인의 탈을 쓰고, 이스라엘의 영광을 위하여 살아가는 유령들에 지나지 않는다.

대한민국의 대형교회는 무소불위의 존재이다. 검은 돈 세탁도 무죄이고, 검은 돈 수수도 무죄이다. 수많은 신도들의 재산의 약탈과 성추행도 무죄이고, 온갖 탈세와 대사기극도 무죄이다.

기독교의 사제는 사자이고, 악어이고, 기독교의 사제는 말벌이고, 살모사이고, 흡혈귀이다.

홀린 사람, 미치광이—.

아아, 기형도 시인이여, 과연 언제, 어느 때 우리 한국인들은 단군을 숭배하며, 이 미치광이들을 대청소할 수가 있을 것이란 말인가?

오늘날 기독교의 본고장인 유럽에서는 예수와 기독교도들이 쓰레기더미의 휴지조각만도 못하지만—.

박만진

우리나라 지도

1

책상 서랍 속에 오래도록 간직해 온

그림 복사본 한 장,

호랑이 모양을 닮았다고 하고
토끼 모양을 닮았다고도 하는
대한민국 지도에 무용수를 그려놓고는
조국은 하나의 몸이라 쓰고
2002년 8월 15일
평양 손님 대표 김동환이라 서명도 했네

  2
비무장을 지키기 위해 무장을 한
남과 북의 현실이 안타깝기 그지없네
38선은 우리나라 허리,
나라의 허리가 아프니
우리 허리가 아플 수밖에
너나없이 자주 허리가 아픈 까닭은
녹슨 가시철조망,
바로 그 동티 때문이 아니겠는가
— 박만진 시집, 『바닷물고기 나라』에서

␢

나는 천하에 제일 가는 '친일파'이다. 전 국토에 쓰레기 하나 없고, 사기꾼이나 도둑놈이 하나 없는 일본이 그렇게 부러울 수가 없다. 일본은 전세계에서 가장 우수한 민족 중의 하나이다.

이 세상에서 가장 일본을 미워하고 싫어하는 우리 한국인들이여, 어서 빨리 민족의 반역자인 나부터 사형을 시켜다오!

도덕적으로 타락한 나라는 두 동강날 수밖에 없고, 두 동강난 나라는 허리가 아플 수밖에 없다.

문재인 대통령은 개천절도 모르고, 민족시조인 단군도 모른다.

4350년 10월 3일, 오늘은 개천절이며, 민족시조인 단군이 대한민국을 건국한 날이다.

문재인 대통령은 이민족의 신인 예수를 믿으며, 단

군의 목을 비틀어댄다.

아아, 한국인으로 태어나 한국인의 삶을 살며, 예수의 이름으로 한국인들의 역사와 전통을 짓밟아버리는 문재인 대통령이여!!

고영섭

사랑의 지도

— 한글날에

호박꽃이 아이처럼 입을 벌리고

한글 자모 외는 노래 부르는 사이

사랑의 향기 찾는 벌 한 마리가

아이의 목젖 너머 성대 속으로 날아 들어가는

— 고영섭 시집, 『사랑의 지도』에서

태초에 언어가 있었고, 우리 인간들은 언어에 의해서 태어났고, 언어에 의해서 만물의 영장이 되었다고 해도 과언이 아니다. 언어가 있었기 때문에 해와 달과 별들을 인식할 수가 있었고, 언어가 있었기 때문에 수많은 사물들과 동식물들을 인식할 수가 있었다. 언어가 있었기 때문에 자연의 법칙을 발견할 수가 있었고, 언어가 있었기 때문에 모든 사건과 사고들을 기록하는 것은 물론, 최고급의 인식의 제전을 펼쳐보일 수가 있었던 것이다.

언어 영역의 확대는 세계 영역의 확대이고, 세계 영역의 확대는 언어 영역의 확대이다. 한 국가의 흥망성쇠는 이 언어의 힘에 달려 있다고 해도 틀린 말이 아니지만, 오늘날의 우리 한국어의 위상을 생각하면 저절로 한숨이 새어나온다. 세종대왕의 한글창제는 우리 한국인들이 고급문화인임을 증명한 세계적인 사건이었지만, 그러나 이 땅의 사대주의자事大主義者들은 한자를 국어로 사용하고, 한글을 천민의 언어로 폄하를 했던 것이다. 한자는 이민족의 언어이며, 우리가 한자를 국어로 사용했다는 것은 한자문화에 종속되어 있었다는 것을 뜻한다. 중국은 종주국가가 되었고, 우리 한국은 종속국가가 되었던 것이다.

세종대왕의 한글창제는 한자문화로부터의 독립이며, 우리 한국인들의 주체성의 확립을 외친 세계적인 사건이었지만, 그러나 그가 세종대왕이었음에도 불구하고, 우리 한국인들은 주권국가의 원주민이 될 수가 없었던 것이다. 한자를 모국어로 삼고, 한자로 말하고, 한자로 숨을 쉰다는 것은 우리의 몸과 마음을 다 한자(중국)에게 바쳤다는 것을 뜻하고, 따라서 우리 한국인들은 철두철미하게 중화민국에 종속될 수밖에 없었던 것이다. 일제 식민시절, 일제에 의하여 '조선어 말살 사건'이라는 혹독한 시련을 거쳤음에도 불구하고, 오늘날에는 오히려, 거꾸로 영어에 의하여 우리 언어의 주도권을 빼앗겼다고 해도 과언이 아니다. 모든 새로운 사건과 사물들은 영어로 설명되고, 아름다운 우리말로 설명되던 그 모든 것들도 이제는 영어로 대치되고 있는 것이다. 한글은 천민의 언어이고, 영어는 귀족의 언어이다. 우리 대통령도, 우리 교육부장관도, 서울대 총장도 모두가 다같이 머리 속이 텅 빈 돌대가리들인데, 왜냐하면 그들은 모두가 다같이 한글의 중요성과 언어의 중요성을 인식하지 못하고 있기 때문이다. 앎의 뿌리가 얕고, 역사 철학적으로, 또는 사상적으로 이미 거세된 이 불임의 환자들이 대한민국을 지배하고 있는 한, 우리 한국인들의 미래는 전인류의 치욕으로 기록될 것이다.

한글, 즉, 모국어의 중요성을 모르니까, 국가의 목표를 설정하지 못하고, 국가의 목표를 설정하지 못하니까, 수많은 정책들이 도로아미타불의 헛수고가 된다. 군사주권도 없고, 외교주권도 없다. 전쟁주권도 없고, 휴전협정이나 평화협정의 주권도 없다. 영원한 제국의 꿈이 없는 사대주의가 왜 나쁜 지도 모르고, 남북분단의 현실이 왜 부끄러운 지도 모른다. 문화선진국이 무엇인지도 모르고, 정의가 무엇인지도 모른다. '주입식 암기교육─표절─대사기꾼의 탄생'이라는 저주의 덫도 모르고, 사상과 이론의 중요성도 모른다.

언어는 생명이고, 피이다. 눈도 있고, 두뇌도 있고,

코도 있고, 입도 있다. 귀도 있고, 목도 있고, 혀도 있고, 입술도 있다. 손도 있고, 다리도 있고, 손가락도 있고, 발가락도 있다. 배꼽도 있고, 성기도 있고, 항문도 있고, 내장도 있다. 나의 생명도 언어이고, 나의 피도 언어이다. 너의 생명도 언어이고, 너의 피도 언어이다. 우리의 생명도 언어이고, 우리의 피도 언어이다. 우리의 산과 들도 언어이고, 우리의 강과 바다도 언어이다. 우리는 언어 속에서 태어났고, 언어 속에서 숨쉬며, 언어로 불멸의 공적을 쌓고, 언어에 의하여 대단원의 마침표를 찍는다. 외국어는 죽은 언어이고, 모국어는 살아 있는 언어이다. 이제부터 우리 한국인들은 한글로 숨쉬고, 한글로 말하며, 한글로 사랑을 하지 않으면 안 된다. 한글로 공부하고, 한글로 최고급의 사상과 이론을 생산해내고, 한글로 천하무적의 전사들을 생산해내지 않으면 안 된다. 우리가 우리의 목숨과도 같은 우리의 언어를 가장 맑고 깨끗하게 하지 않으면 우리 대한민국과 우리 한국인들의 미래는 없게 되는 것이다.

사대주의자들은 영어로 말하고, 영어로 사유한다. 사대주의자들은 표절로 출세를 하고, 부정부패로 건국이념을 창출해낸다. 대한민국은 이승만, 박정희, 전두환, 노태우, 이명박, 박근혜, 최순실, 유병언, 조희팔 과도 같은 영원한 불량배들의 나라이며, 이민족의 신 인 예수를 숭배하는 사대주의事大主義의 나라이다.

  호박꽃과 호박꽃의 사랑, 꿀벌과 꿀벌과의 사랑, 자 음과 모음과의 사랑이 고영섭 시인의 「사랑의 지도」의 핵심적인 이야기가 되지만, 그러나 이 '사랑 이야기'를 주재하는 것은 한글이라고 할 수가 있다. 한글이 사랑 의 향기를 찾는 벌 한 마리를 날아다니게 하고, 한글이 호박꽃과 어린아이와 꿀벌들을 먹여 살린다. 태초에 한글이 있었고, 한글이 세종대왕에게 황금왕관을 부여 했고, 한글이 대한민국을 대한민국이게 했던 것이다.
  한글로 새로운 세상이 열리고, 한글로 영원한 제국 의 운명이 결정되고, 한글로 전인류의 평화를 이룩하 게 된다.
  이것이 내가 고영섭 시인의 「사랑의 지도」를 읽으면 서 내 마음대로 구상해본 한글의 세계인 것이다.

이순희

느리게 느리게

완행열차를 타고 물 흐르듯 흘러가네

이 역 저 역 다 쉬고 멈추는 비둘기호 타고
구석구석 구경하는 이 맛

맨드라미가 붉게 핀 화단과
봉숭아가 곱게 핀 간이역,
모두 눈에 담으며

쉬고 멈추며 둘러가는
이 삶의 맛

— 이순희 시집, 『꽃보다 잎으로 남아』에서

📖

　문화선진국의 대학교수는 매 학기마다 새로운 논문으로 강의를 해야 하기 때문에 밥 먹고 잠자는 시간만 빼놓고 공부를 한다. 문화선진국의 명문대학교 학생들은 지도교수의 강의를 1주일에 한 번 듣고 두 명의 조교 밑에서 상호토론과 상호비판으로 공부를 하기 때문에 밥 먹고 잠 자는 시간만 빼놓고 공부를 한다.

　문화선진국의 대학교수와 학생들은 참으로 느리고 느리게 살지만, 그 어떤 빠름보다도 더 빠르게 산다. 그들은 모두가 다같이 '느리게 느리게' 완행열차를 타고 물 흐르듯이 흘러가는 것과도 같다. "이 역 저 역 다 쉬고 멈추는 비둘기호"처럼, "맨드라미가 붉게 핀 화단과/ 봉숭아가 곱게 핀 간이역/ 모두 눈에 담으며// 쉬고 멈추며 둘러가는/ 이 삶의 맛"이라는 시구가 바로 그것을 증명해준다.

　소크라테스 역, 플라톤 역, 아리스토텔레스 역, 스

피노자 역, 라이프니츠 역, 칸트 역, 마르크스 역, 헤겔 역, 니체 역, 쇼펜하우어 역, 하이데거 역, 프로이트 역, 베토벤 역, 모차르트 역, 반 고호 역, 폴 고갱 역, 알렉산더 역, 나폴레옹 역, 호머 역, 단테 역, 괴테 역, 보들레르 역, 랭보 역, 톨스토이 역—, 공부를 하고 또 공부를 한다는 것은 오직 책상이라는 완행열차에 앉아서 이 모든 역들을 다 거쳐가며, 이 아름답고 풍요로운 삶의 진수를 맛보는 것과도 같다.

언제, 어느 때나 사상과 이론의 최전선에 서서, 전체 인류의 행복과 평화를 연출해내는 사람들은 이와도 같은 '느림의 미학의 대가들'이라고 하지 않을 수가 없다.

노벨문학상, 노벨경제학상, 노벨물리학상, 노벨화학상, 노벨생리의학상, 노벨평화상이라는 월계관과 함께 전인류의 찬양과 존경이 이 '느림의 미학의 대가들'에게 바쳐지는 것도 우연이 아니다.

나는 이순희 시인의 「느리게 느리게」를 읽으며, 우리 한국인들을 '사상가와 예술가의 민족', 즉 '고급문화인'으로 인도하겠다는 나의 꿈을 생각해본다.

조재형 최승호

오현정 이상규

신옥진 고정국

정도경 박분필

이순화 이대흠

이재무 박정원

조재형
길의 사회학

옛날
길을 내다
나무가 계시면
길이 비켜 갔다

지금
나무가 있으면
둥치를 잘라 버린다

뿌리째 뽑힌 하체 한 분
관공서 로비에서 돌아가지 못하고 있다

사람들이 돌아서 간다
— 『애지』, 2017년 겨울호에서

📖

길이란 무엇일까? 첫 번째로는 교통수단으로서의 길
도 있고, 두 번째로는 방법으로서의 길도 있으며, 세
번째로는 행위의 규범으로서의 길도 있다. 교통수단으
로서의 길은 사람이 다니며 물건 등을 옮길 수 있다는
것을 뜻하고, 방법으로서의 길은 '무슨 길이 있을까'라
는 말처럼 수단이나 방법을 뜻하고, 행위의 규범으로
서의 길은 '군자의 길'이나 '선비의 길'처럼 사상적, 또
는 도덕적 길을 뜻한다. '인생은 나그네 길'이라는 말
처럼, 인간은 길 위에서 태어나고 길 위에서 죽어간다.
오솔길, 고샅길, 산길, 들길, 자전거길, 자갈길, 진창
길, 소로길, 큰길, 지름길 등이 그것을 말해주고, 하늘
길, 뱃길, 철길, 군자의 길, 선비의 길, 언덕길, 비탈
길, 고갯길 등이 또한 그것을 말해준다.

조재형 시인의 「길의 사회학」을 읽으며 잠시 길에 대
하여 생각해보았지만, 조재형 시인의 길은 이 길들 중

에서 세 번째 길인 도덕의 길에 맞닿아 있다고 할 수가 있다. 도덕이란 기초 위에 사회학이 탄생했고, 사회학이란 철두철미하게 관계의 산물이라고 할 수가 있다. 도덕이란 나와 당신, 또는 우리와 당신들의 관계의 산물이며, 이 관계의 유형과 그 본질을 탐구하는 것이 사회학이라고 할 수가 있다. 옛날에는 길을 내다 나무가 계시면 길이 비껴갔다. 나무는 신성한 존재이며, 어떤 경우에도 나무의 옥체를 손상시켜서는 안 되었던 것이다. 이 수목신화는 나무가 인간을 지켜주고 인간이 나무의 은총을 입고 살아간다는 것이 될 것이다. 하지만, 그러나 이제는 길을 내다가 나무가 있으면 그 둥치를 잘라버린다. 나무는 기껏해야 도구나 장애물에 불과하고, 우리 인간들이 그 나무 위에 군림을 하게 된다. 마지막으로 둥치가 잘려나가고 "뿌리째 뽑힌 하체 한 분"이 "관공서 로비에서 돌아가지 못하고 있다." 이때에 이 거목은, 그 거목의 아름다움 때문에 장식품이 되고, 이제는 자연으로 돌아갈 수가 없게 된다. 거목의 뿌리는 장식품이 되고, 이 방부처리된 장식품은 영원히 죽지도 못한다. 하지만, 그러나 "사람들이 돌아서 간다"는 마지막 시구는 우리 인간들이 거꾸로 이 괴목을 숭배한다는 것을 지시하고 있다고 해도 틀린 말이 아니다.

　자연숭배의 시대에는 나무와 인간이 공존하고, 나무는 경이와 숭배의 대상이었다. 인간의 시대에는 나무는 하나의 도구나 장애물에 불과하며, 인간이 자연 위에 군림하는 시대가 되었다. 이제는, 그러나, "뿌리째 뽑힌 하체 한 분"의 시대가 되었고, 괴목이 인간을 지배하는 시대가 되었다.

　길이란 인간의 사회적 요청이 양식화된 것이며, 인간의 역사는 길의 역사라고 할 수가 있다. 길이 바뀌면 시대가 바뀌고, 시대가 바뀌면 역사가 바뀐다. 우마차가 다니던 시대는 '군자의 도'가 강조되었지만, 자동차가 다니고 비행기가 날아다니는 민주주의 시대는 만인평등, 즉, '인간의 도'가 강조된다. 길이 길의 흐름을 바꾸고, 인간과 인간의 관계를 수평적으로 변모시키며, 인간의 길을 활짝 열었던 것이다.

　조재형 시인의 「길의 사회학」은 자연숭배의 시대와 인간의 시대, 그리고 괴목숭배 시대의 '길의 사회학'을 역사 철학적으로 아주 깊이 있게 구축해놓고 있다고 할 수가 있다. 신도 죽었고, 나무도 죽었고, 인간도 죽었다. "뿌리째 뽑힌 하체 한 분"은 인간이 창조해낸 괴물이며, 어느덧 그 괴물이 관공서를 점령하고, 우리 인간들이 그 괴물을 숭배하게 된 것이다. 현대사회는 인공괴물의 시대이며, 인공괴물들이 모든 길을 장악하고 있다고 하지 않을 수가 없다.

시는, 아주 좋은 시는 이처럼 기본 단어 몇 개만 있어도 충분하다. 인간의 사유를 자극하고, 이 사유의 자극을 통해서 끊임없이 새로운 '인간의 길'을 되묻고 성찰하지 않으면 안 된다.

길이 바뀌면 시대가 바뀌고, 시대가 바뀌면 그 시대에 맞는 새로운 인간이 탄생한다. 거목이, 괴목이 된 이 문명의 시대는 조건없이 인간과 자연이 화해할 수 있는 수목숭배의 시대로 되돌아가지 않으면 안 된다.

최승호

인식의 힘

절망한 자들은 대담해지는 법이다 ─니체

도마뱀의 짧은 다리가
날개 돋친 도마뱀을 태어나게 한다
─ 최승호 시집, 『고슴도치의 마을』에서

서양의 명문대학교 교수들은 하루가 48시간이라고 해도 짧을 정도로 학문연구에 파묻혀 산다. 사상과 이론의 최전선에서, 매 학기마다 새로운 주제—새로운 사상과 이론—로 강의를 하기 때문이다.

우리 학자들의 주특기는 표절이고, 일년 열두 달을 천하태평으로 놀고 먹는다.

한국병, 즉, 망국병은 이처럼 넓고도 깊다.

타인의 사상과 이론은 나의 다리를 도마뱀의 다리처럼 짧게 하지만, 그러나 내가 나의 사상과 이론을 정립하게 되면, 나는 날개를 달은 도마뱀이 될 수가 있는 것이다.

나는 나 자신만의 사상과 이론의 힘으로 날며, 그 모든 경쟁자들을 절망의 늪으로 인도하게 되는 것이다.

절망은 「인식의 힘」이 되고, 이 인식의 힘이 새로운 우주를 탄생시킨다.

오현정

페파와 함께 춤을

도쿄로 출장 가는 그이에게

– 로봇 하나 사다 줘

어젯밤 TV로 본 성적 여자 로봇처럼 눈을 깜박이며 말하자

– 무슨 로봇! 산업 일자리 만들기 조라봇으로 게임하게?

– 아니 페파pepper가 갖고 싶어 내 감정을 읽고 대화할 인간로봇

– 그거 나온 지 1분 만에 완판됐잖아

– 예약이라도 하고 오라고

로봇을 원하는 인간은 그만큼 인간과 교심하기 싫다는 거지

로봇은 점점 인간이길 원하는데 소통과 공감을 인간로봇과 하겠다고,

‒ 그게 얼마나 재밌고 편해
‒ 사랑해~ 하면 하트 눈이 빨간불로 깜빡이잖아
‒ 닥쳐! 하면 좋지 않은 말입니다
정중하게 일러주고

‒서빙은 나에게
귀찮은 일까지 척척해줄 텐데,
게다가 우울한 날엔 음악에 맞춰 함께 춤을 추며 아
이언 맨의 자비스처럼 로봇과 자유로운 대화를 할 수
있으니 얼마나 좋아

어차피 움직이는 인공지능과 더불어 살아야 할 미래
이왕이면 좀 빨리 편해지고 싶다는 거지
인간은 로봇화 되어가고 있어
자신의 감정을 타인에게 드러내지 않고 외로움이나
자존심을 들키지 않고
단순하게 살고 싶어 하지
감정로봇은 감정프로그램과 반성프로그램을 다 갖
고 싶어 하는데

- 당신 생각나서 샀어,

- 무슨 로봇 가졌니? 물으면 태권V 하면 되잖아

그이는 뇌 과학의 대가나 인간로봇 연구소장처럼 말
한다

나와 함께 춤춘 지가 까마득한데

— 오현정 시집, 『몽상가의 턱』에서

오늘날은 과학의 시대이고, 과학이 모든 믿음을 대청소해버렸다. 신의 죽음이 인간의 죽음으로 이어지고, 인간의 죽음이 마침내 '인간의 탈을 쓴 유령들의 사회'를 탄생시켰다고 해도 지나친 말이 아니다. 서로가 서로를 믿고 사랑하며 그 모든 담장들을 다 허물어버린 열린 사회는 그 어디에도 없고, 싸늘한 철제대문과 시멘트 벽으로 닫힌 사회만이 존재하고 있다고 하지 않을 수가 없다. 당신도 당신의 이웃들에게 불순한 침입자나 범죄자처럼 다가가고 있는지도 모르고, 당신의 이웃들도 당신에게 불순한 침입자나 범죄자처럼 다가오고 있는 것인지도 모른다.

　　학교의 교육은 진리 탐구와 인류 전체의 행복을 위하여 존재하지도 않으며, 오직 개인의 이익과 그 행복을 위해서 존재한다고 해도 과언이 아니다. 이제 인간은 사회적 동물이 아닌 단독자로서만 존재한다. 왜냐하면 인간의 삶의 양상은 전체의 이익이 아닌 개인의 이익만을 위해서 그 정당성을 얻어가고 있기 때문이다. 신문과 TV가 있어도 인간과 인간의 관계는 개선되지 않으며, 스마트폰과 컴퓨터가 있어도 인간과 인간의 관계는 불순한 음모의 관계로 악화되기만 한다.

학교의 교육은 오직 '출세의 수단'으로 변질되었으며, 돈만이 최고가 되는 자본주의 사회의 가치관만을 재생산해내게 되었다. 자본주의 사회는 돈이 최고가 되는 사회이며, 싸늘한 이기주의가 그 발톱을 드러낸 사회에 지나지 않는다. 부모도 없고, 친구도 없다. 스승도 없고, 제자도 없다. 돈이 있고, 유령인 내가 있기 때문에, 그 모든 관계는 영역싸움이며, 단 한 치도 양보할 수 없는 백병전을 방불케 한다. 아들이 아버지를 고소하고, 아버지가 딸을 고소한다. 남편이 아내를 고소하고, 아내가 오빠를 고소한다. 제자가 스승을 고소하고, 대통령이 국민을 고소한다. 이 소송전은 임전무퇴의 백병전이며, 자본주의 사회를 자본주의 사회로 살아 움직이게 하는 원동력이라고 할 수가 있다. 너도 침입자나 범죄자처럼 존재하고, 나도 침입자나 범죄자처럼 존재한다. 고소왕은 다국적 기업의 유령이 되고, 이 유령의 이마에는 그 옛날의 청동현판처럼 이렇게 써있다.

'소송전은 나의 존재 근거이며, 소송전은 나의 행복이다.'

다국적 기업의 유령들이 이렇게 외치니까, 우리들의 스승도, 우리들의 목사도, 우리들의 아버지도, 우리들의 자식도 그 복음의 말씀을 받들어 모신다.

이 고소왕, 이 유령들이 우리 인간들의 학문마저도 돈벌이 수단으로 전락시켰고, 그 결과, 인간의 생명을 담보로 최고의 이윤의 법칙을 창출해내게 되었다. 생명공학은 질병과 불치병의 치료에 그 목적이 있지 않고, 오직 돈벌이에만 관심이 있기 때문에, 자연의 법칙에 반하는 고령화 사회를 연출해내게 되었다. 모든 유기체는 생식기능이 끝나고 신체의 기능이 약화되면 곧 그 일생을 마치게 되지만, 오늘날의 인간은 단지 수명 연장만이 최고가 되는 유령이 되었다고 하지 않을 수가 없다. 이 고령화는 백약이 무효인 바이러스처럼 그 전염력이 강해서 전세계의 자원과 우리 젊은이들의 미래의 앞날까지도 다 탕진해버린다.

신도 죽었고, 인간도 죽었다. 생명이란 단지 돈벌이의 수단에 지나지 않으며, 늙고 병들고 쇠약하고 오래 살수록 더 많은 돈벌이의 수단이 된다. 만일, 수명연장, 즉, 늙고 병들고 쇠약하고 오래 살수록 돈벌이가 되지 않는다면, 과연, 이 고소왕, 이 다국적 자본이라는 유령들이 그 무슨 살신성인의 모습으로 오늘날의 생명공학을 발전시킬 것이란 말인가? 늙은이는 병들었고, 약하고, 속이기가 쉽다. 늙은이는 단순하고, 오늘에 살고 오늘에 죽으며, 단지 수명연장만을 최고로 생각한다. 이 늙은이들이 돈벌이의 대상으로 악용되지 않는다면, 모든 유령들이 스스로, 제발로, 다 물러가고, 서로가 서로를 믿고 사랑하는 인간의 사회가 머나먼 그 옛날의 행복처럼 되돌아오게 될는지도 모른다.

> 오늘날에는 철학자가 지구상에 존재할 수 있도록 충분한 자부심, 대담성, 용기, 자신감, 충분한 정신의 의지, 책임에 대한 의지, 의지의 자유가 존재하는가?
> ─ 니체, 『도덕의 계보』

오늘날은 과학의 시대이고, 이 과학의 시대는 철학이 그 종말을 고한 시대이다. 이 우주와 자연 전체를 찬양하고, 인간이 인간을 서로 믿고 사랑하던 지상낙원의 시대는 사라지고, 싸늘한 이기주의 앞에서 우울증과 외로움이라는 질병을 앓게 된다. 당신이 있어도 당신과 떨어져 살아야 할 그날을 위해서 지능로봇과 감정로봇의 노예가 되지 않으면 안 되고, 단지 수명연장만이 최고의 목적이기 때문에, 「페파와 함께 춤을」 추지 않으면 안 된다. "— 사랑해~ 하면 하트 눈이 빨간 불로 깜빡이잖아/ — 닥쳐! 하면 좋지 않은 말입니다/ 정중하게 일러주고// —서빙은 나에게/ 귀찮은 일까지 척척해줄 텐데,/ 게다가 우울한 날엔 음악에 맞춰 함께 춤을 추며 아이언 맨의 자비스처럼 로봇과 자유로운 대화를 할 수 있으니 얼마나 좋아// 어차피 움직이는 인공지능과 더불어 살아야할 미래/ 이왕이면 좀 빨리 편해지고 싶다는 거지/ 인간은 로봇화 되어가고 있어/ 자신의 감정을 타인에게 드러내지 않고 외로움이나 자존심을 들키지 않고 단순하게 살고 싶어 하지."

나는 이 유령들, 이 지능로봇의 노예들 앞에서 철학예술가로서의 할 말을 잃어버린다. 철학의 시대는 종말을 고하고, 로봇의 시대가 되었다. 이 로봇은 유령들의 영원한 하나님이 되었고, 날이면 날마다 돈이라는 인공식물을 먹고 살아간다.

이상규

늙음

차츰 줄어듭니다
차츰 가벼워집니다
체중도 식사량도
찾는 이도 찾을 이도
착신 우편물도
초대장도
그리움도
차츰 줄어듭니다

존재의 무용
서글픔이 당당하게
자리를 차지하는
저녁 무렵

아내는 그래도 웃음으로

여위어 가는 내 손목을 잡아줍니다

성그런 밥상 앞에 마주앉다
줄어든 배를 채웁니다
허무한 식은 밥으로
아직 익숙하지 않은
노년의 일상

그 언저리에는
지난 숱한 영상이 엄청난 속도로
포개져 있습니다

— 이상규 시집, 「오르간」에서

📖

    외롭다는 것은 무섭다는 것이고, 무섭다는 것은 살아 있다는 것이다. 외롭다는 것은 의로운 길을 걸어가고 있다는 것이고, 의로운 길을 걸어간다는 것은 때 묻지 않고 순수한 마음을 가지고 있다는 것이다. 외롭다는 것은 미치지 않았다는 것이고, 미치지 않았다는 것은 특정종교와 특정집단의 패거리에 가담하지 않았다는 것이다. 외롭다는 것은 신화의 나라에 살고 싶다는 것이고, 신화의 나라에 살고 싶다는 것은 너와 내가 다같이 손에 손을 맞잡고 우리 모두의 행복을 연주하고 싶다는 것이다. 이상규 시인은 경북 영천에서 태어났고, 1978년 『현대시학』으로 등단을 했으며, 시집으로는 『종이나발』, 『거대한 집을 나서며』, 『헬리콥터와 새』, 『13월의 시』 등을 출간한 바가 있다. 이상규 시인은 외로움의 시인이며, 그는 그 외로움의 시학을 통해서 『키다리 도광의 시인』이나 『이야기 나라』와도 같은 매우 아름답고 탁월한 시들을 쓴 바가 있다.

늙음은 줄어듦이며, 줄어듦은 가벼워짐이다. 가벼워짐은 연소되고 있다는 것이며, 연소되고 있다는 것은 그의 생명의 불꽃이 타고 있다는 것이다. 체중도 타고 있고, 식사량도 타고 있다. 찾는 이도, 찾을 이도 타고 있고, 착신우편물도, 초대장도 타고 있다. 삶이란 불이며, 불꽃이고, 대연소 과정에 지나지 않으며, 줄어듦이란 에너지의 사용량과 그 나머지를 말한다.

늙음이란 황혼이며, 황혼이란 마지막 대연소 과정의 불꽃을 말한다. "존재의 무용"도 타오르고, "서글픔이 당당하게/ 자리를 차지하는/ 저녁무렵"도 타오른다. "여위어가는 내 손목을 잡아"주는 아내도 타오르고, "아직 익숙하지 않은/ 노년의 일상"도 타오른다. 대연소과정의 불꽃이란 시인의 인생 전체를 되비추어주는 환영이며, 떠나갈 사람과 남아있는 사람이 너무나도 서럽고 눈물겨운 마지막 작별인사를 나눌 시간을 말한다. 외롭기 때문에 순수했고, 순수했기 때문에, 이상규 시인의 가장 아름답고 뛰어난 「늙음」이란 시가 완성되었다고 할 수가 있는 것이다.

신옥진
소

— 이중섭

들녘의 황소가 이중섭 소가 아닌 듯
이중섭 소는 시골 소가 아니다.
이중섭 소는 그림 속에 있다.
아니 그림 밖에 있다.

평생 기러기아빠였던 이중섭,
쇠불알 흔들며 뒤돌아보는
슬픈 눈동자의 황소
외로운 손 심연에 묻은 채
성큼성큼 별빛 눈 굴리며 걸어간다
— 신옥진 시집, 『화가를 그리다』에서

어느 두 사람의 현실주의(사실주의) 화가가 내기를 했다. 한 사람은 캔버스에 나무를 그렸고, 한 사람은 캔버스에 베일(장막)을 그렸다. 첫 번째 화가가 그의 캔버스의 베일을 벗기자 새가 날아와 앉으려고 하다가 그 캔버스에 부딪쳐 죽고 말았다. 그러자 그의 얼굴에 득의의 미소를 띠며, "자, 이제는 그대의 베일을 벗겨 보시지요"라고 말했다고 한다. 하지만, 그러나 그 친구의 그림은 베일 그 자체였던 것이고, 따라서 그 베일을 그린 친구가 너무나도 완벽한 '한판 승'을 거두게 되었던 것이다. 현실을 직시하고 그 현실을 정확하게 반영하면, 그 그림 속에는 "온통 새소리/ 시냇물소리/ 셀 수 없는 온갖/ 들꽃들의 향내가 범벅된/ 설악산"을 모사할 수가 있지만, 그러나 그 현실주의는 곧바로 김종학이 그 의미를 부여한 설악산이 된다. 아리스토텔레스는 '인간은 모방하는 동물이다'라고 말한 바가 있고,

오스카 와일드는 '자연은 모방하기를 좋아한다'라고 말한 바가 있다. 아리스토텔레스는 현실주의의 선구자이며, 오스카 와일드는 상징주의자, 즉, 헤겔학파의 후예라고 할 수가 있다. 예술은 자연 그대로의 예술일 수도 있지만, 그러나 모든 예술은 인간의 정신(의식)의 산물이라고 할 수가 있다. 어떤 예술가도 사실 그대로 모사하지 않고, 그 사실을 토대로 하여, 그의 정신(의식)을 드러내게 된다. 신옥진 시인이 겸재 정선의 산수화를 보고, "자연 속에/ 또다른/ 자연이 있다"라고 말한 것이나 이중섭의 소 그림을 보고, "들녘의 황소가 이중섭 소가 아닌 듯/ 이중섭 소는 시골 소가 아니다/ 이중섭 소는 그림 속에 있다/ 아니 그림 밖에 있다"라고 말한 까닭이 바로 여기에 있는 것이다.

이중섭의 소는 들녘의 황소도 아니고, 시골의 황소도 아니다. 이중섭의 소는 그림 속의 소이기는 하지만, 그러나 그 소는 그림 밖의 소이기도 하다. 소는 이중섭이 되고, 이중섭은 소가 된다. "평생 기러기아빠였던 이중섭/ 쇠불알 흔들며 뒤돌아보는/ 슬픈 눈동자의 황소/ 외로운 손 심연에 묻은 채/ 성큼성큼 별빛 눈 굴리며 걸어간다." 소는 영낙없는 이중섭의 자화상인 동시에, 이 소가 우리 한국인들이 사랑하는 대표적 동물임을 상기할 때, 그 소는 우리 한국인들의 상징이기도 한 것이다. 덩치도 크고 뿔도 있지만, 그러나 그 공격성을 잃어버리고 묵묵히 일만 하는 소, 그토록 어렵고 힘든 고통을 낙으로 알고 그 고통이라는 무거운 짐을 지고 묵묵히 일만 하는 소―, 이 황소가 일제 강점기와 한국전쟁을 거친 우리 한국인들의 운명을 대변하고 있다고 해도 과언이 아니다.

고정국
탈옥을 꿈꾸며

스스로 갇혀 사는 창살보다 더한 감옥
더 먼 곳 더 깊은 곳 그 감옥에 갇히기 위해
오늘도 갇혀 삽니다, 시조 삼장 육구의

강낭콩 콩깍지에 강낭콩이 숨어서 크듯
삼장 육구 열두 음보에 숨어있는 하늘의 마음
그곳을 찾아 삽니다, 그 사슬에 묶여서

자신에게 묻습니다, 네 장점이 무어냐고
또 내게 묻습니다, 네 단점이 몇이냐고
묶다가 풀다가 하며 내 포승을 놓습니다

좋은 책 좋은 스승은 가둬두지 않습니다
좋은 법 좋은 길은 가둬두지 않습니다
차라리 제 몸을 풀어 길을 더욱 밝힙니다

그래서 나의 포승은 내 안에 꽉 차 있습니다
열 번 묶고도 남을 그 포승에 다시 묶여
오늘도 아픈 몸 이끌고 시를 찾아 나섭니다

시는 나의 감옥이며 해방구라 말합니다
시는 나의 반쪽이며 목적이라 말합니다
세상에 아름다운 포승 그 포승이 좋습니다

오월도 막바지에 여름처럼 덥습니다
더운 길 한참을 걸어 연금 받고 왔습니다
이 달도 구만 육천 원 기초 삶을 산답니다

메추리 알 대여섯 개 플라이를 해두신 하늘
저녁 산책길에 개망초꽃을 보았습니다
때맞춰 새하얀 얼굴 보름달이 오릅니다

풋고추 메추리알 그 작은 걸 왜 먹나요?
먹을 거 넘쳐나는 대한민국 이 땅에서
작은 거 금기시 하는 그도 감옥이랍니다

생명을 중시하며 생명을 먹습니다
먹어서 내 몸속에 그 생명을 가꾼다는
희한한 나의 논리에 들꽃들이 웃습니다

웃다가 꽃을 보면 저도 내가 되겠다며
차라리 나를 먹어 제가 시인이 되겠다며
오늘도 카메라 속에 잠복하고 있습니다

(2013년 5월 25일, 즉흥시조 3906계단 내려온 지점)
— 고정국 시집, 『탈옥을 꿈꾸며』에서

신성모독이란 무엇일까? 신성이란 성스러운 것이고, 이 성스러운 것을 모독한다는 것은 만인들의 의사에 반하여, 그 금기를 깨뜨렸다는 것을 말한다. 금기를 깨뜨렸다는 것은 범하지 말아야 할 것을 범했다는 것을 뜻하고, 그는 아담과 이브처럼, 에덴동산에서 쫓겨나게 되었다는 것을 뜻한다. "나는 신성모독을 범한다, 고로 존재한다"는 낙천주의자의 제일의 명제인데, 왜냐하면 신성모독을 범하지 않으면 이 세상의 삶이 없기 때문이다.

아이가 태어날 때에도 아버지는 죽고, 아이가 성장할 때에도 아버지는 죽으며, 아이가 이윽고 제 힘으로 살아갈 때에는, 바로 그때에는 진짜로 아버지가 죽는다. 아버지가 늙거나 병들어도 그 권좌에서 내려오지 않으면 아들에게 살해를 당하고, 아버지가 사사건건 종교적인 이유로나 학문적, 또는 혈연적인 이유로나

도덕적인 이유로 아들의 앞길을 가로막을 때에도 아버지는 살해를 당한다. 자식을 이기는 부모는 없다라는 말도 있지만, 그러나 자기 스스로 그 모든 권력을 아들에게 양도하는 부모도 별로 없다.

생명이 생명을 먹는 것은 원죄가 되고, 이 원죄의 대가로 그는 영원한 죄인이 된다. 아버지를 살해한 것은 크나큰 죄가 되고, 그는 자기가 자기 스스로를 구속한다. 하지만, 그러나 아버지를 살해하지 않으면 나의 삶이 없다는 것을 깨닫고 곧바로 또다시 그 감옥을 탈출하여 죄를 짓는다. 죄와 벌, 구속과 탈주, 죄와 벌, 구속과 탈주는 익시온의 수레바퀴이자 우리 인간들의 영원한 삶의 수레바퀴라고 할 수가 있다. 신성모독은 출세의 보증수표가 되고, 그 벌은 몰락의 보증수표가 된다. 죄를 짓는다는 것도 위험하고, 벌을 받는 것도 위험하다. 죄를 짓지 않는다는 것도 위험하고, 벌을 받지 않는다는 것도 위험하다. 하지만, 그러나 이 위험이 있기 때문에, 이 위험의 날개로 더욱더 높이높이 날아오르고, 이 위험의 입신경지로 그 모든 신출귀몰한 묘기를 다 연출해낸다. 인생은 예술이고, 이 예술의 원동력은 신성모독이라고 해도 과언이 아니다.

한 편의 시는 소우주이며, 이 소우주는 새로운 이상 낙원이 된다. 새로운 이상낙원은 기존의 모든 가치관과 역사와 전통을 부정(해체)하고, 이 부정의 토대 위에서 그 모습을 드러내게 된다. 시인은 죄를 짓고 죄악을 정당화하는 영원한 신성모독자이며, 이 세상의 찬양자라고 하지 않을 수가 없다. 시인의 상상 자체가 새롭고 신선하다는 것도 기존의 상상계의 질서를 부정했다는 것이 되고, 시인이 시인의 언어를 선택하고 새로운 언어를 창출해냈다는 것도 기존의 언어와 문법 체계를 부정했다는 것이 된다. 모든 사건과 사물들에게 새로운 이름을 부여할 줄 아는 자, 자기 자신의 성격과 사유와 취향으로 새로운 이상낙원을 창출해내는 자—, 그는 영원한 신성모독자이자 새로운 가치의 창조자라고 하지 않을 수가 없다.

고정국 시인은 1947년 서귀포 위미리에서 태어났고, 1988년 《조선일보》 신춘문예로 등단했다. 시집으로는 『민들레 행복론』 외 6권이 있으며, 위미사투리 서사시조집 『지만울단 장쿨래기』 그리고 산문집 『고개숙인 날들의 기록』과 체험적 창작론인 『助詞에게 길을 묻다』 등이 있다. '중앙시조대상', '유심작품상', '이호우

문학상', '현대불교문학상', '한국동서문학작품상' 등을
수상한 바가 있으며, 민족문학작가회의 제주도 지회장
을 거쳐서, 현재 한국작가회의 회원으로 활동하고 있
다. 고정국 시인의 여덟 번째 시집인『탈옥을 꿈꾸며』
는 시조시인으로서 "삼장 육구"의 소우주를 창출해내
기 위하여, 그 "삼장 육구의 감옥에 갇힌 자"의 삶의 찬
가라고 할 수가 있다.

'삼장 육구의 소우주'에는 단어 하나, 토씨 하나에도
시인의 영혼이 살아 있고, 그리하여 만인들의 심금을
사로잡는 시구들로 울창한 숲을 이루고 있지만, 그러
나 이 소우주가 탄생하기까지는 수많은 싸움들과 싸움
들로 최고급의 인식의 전쟁이 있지 않으면 안 되었던
것이다. 토씨와 토씨의 싸움, 단어와 단어의 싸움, 이
미지와 이미지의 싸움, 사상과 사상의 싸움, 종교와 종
교의 싸움, 내재율과 외재율의 싸움, 언어의 배열과 그
의미와의 싸움, 감정의 이입과 확산의 싸움, 집중과 탈
집중의 싸움 등, 이 수많은 싸움들이 그 소우주 속에
는 살아 있지 않으면 안 되고, 그 싸움들이 '투쟁 속의
조화'로서 살아 있지 않으면 안 된다. 고정국 시인은
"삼장 육구의 시조"는 "스스로 갇혀 사는 창살보다 더

한 감옥"이라고 말하고, "시는 나의 감옥이며 해방구"라고 말한다. 소우주는 감옥이며 삶의 터전이고, 시도 감옥이며 삶의 터전이다. "삼장 육구 열두 음보"는 시인의 터전이라는 점에서는 소우주이지만, 그러나 다른 한편, 기껏해야 "삼장 육구 열두 음보"에 갇혀 산다는 점에서는 좁디 좁은 감옥에 지나지 않는다. 감옥(죄인)은 자유인을 꿈꾸고, 자유인은 구속된다. 이것이 시의 법칙이고, 만유인력의 법칙이기도 한 것이다.

  소우주에는 푸른 하늘도 있고, 소우주에는 강낭콩도 자란다. 소우주에는 좋은 책도 있고, 소우주에는 스승도 있다. 소우주에는 개망초꽃도 있고, 소우주에는 메추리알도 있다. "네 장점이 무어냐고"고 묻는 나도 있고, "네 단점이 몇이냐고" 묻는 나도 있다. "좋은 책", "좋은 스승", "좋은 법", "좋은 길은 가두지 않습니다"라고 탈옥을 꿈꾸는 나도 있고, 그 탈옥 끝에, "열번 묶고도 남을 그 포승에 다시 묶여/ 오늘도 아픈 몸 이끌고 시를 찾아 나섭니다"라는 죄인도 있다. 이러한 죄와 벌, 구속과 탈주는 소우주를 살아 움직이게 하는 만유인력법칙이며, 이 법칙은 생명이 생명을 먹고 살 수밖에 없는 '먹이사슬 법칙'에도 그대로 적용할 수가 있다.

"풋고추 메추리알 그 작은 걸 왜 먹나요?"라고 단죄시 하는 사람도 있고, 그 먹거리를 "금기시 하는 그도 감옥"이라는 사람도 있다. 하지만, 그러나 그는 "생명을 중시하며 생명을" 먹는 자유인인 동시에, 그의 몸속에 들꽃을 가꾼다는 들꽃의 시인이 되기도 한다. 요컨대 나는 풋고추 메추리알을 먹고 살아가지만, 그러나, 나 역시도, 내가 죽으면 들꽃의 밥이 되어 갈 것이다. 모든 것이 가고 모든 것이 되돌아 온다. 모든 것이 가고 모든 것이 되돌아오지만, 그러나 그 되돌아옴에는 천변만화의 다른 꽃들이 피어나게 될 것이다.

삼장 육구의 소우주에는 새들이 살고, 수많은 나무와 풀들이 산다. 삼장 육구의 소우주에는 수많은 동물들이 살고, 삼장 육구의 소우주에는 수많은 시인들이 산다. 죄가 살고, 벌이 살고, 탈주가 살고, 구속이 산다. 시가 살고, 멋진 신세계가 살고, 너와 내가 손에 손을 맞잡고 아름답고 풍요로운 삶을 살아간다. 소우주가 대우주가 되고, 대우주가 자유와 평등과 사랑으로 그 넓디 넓은 옷자락에 그 모든 것을 다 품어 기른다.

고정국 시인의 「탈옥을 꿈꾸며」는 신성모독의 꽃이자, 생명의 꽃이라고 할 수가 있다. 시를 쓴다는 것은 언어가 언어를 먹는 것이고, 산다는 것은 생명이 생명을 먹는 것이다. 죄와 벌, 탈주와 구속은 영원한 윤회의 수레바퀴가 되고, 신성모독은 영원한 생명의 꽃이 된다.

산다는 것은 죄를 짓는다는 것이며, 죄를 짓고 죄악을 정당화하지 않으면 우리 인간들의 삶이 없게 된다.

시는 신성모독(사상)의 꽃이자 낙천주의를 양식화시킨 것이다.

　　요즘 문어들은
　　백 개 넘는 발이 있어

　　빵가게 구멍가게
　　이쑤시개 수입까지

　　그래서 문어를 삶으면
　　다리부터
　　자른다
　　— 「문어를 삶으면」 전문

나는 낙천주의 사상가로서 우리 한국인들의 장점을 이렇게 적어보고자 한다. 첫 번째는 돌대가리 민족이기 때문에, 문화선진국의 좋은 점을 하나도 배우지 못한다는 것이고, 두 번째는 임진왜란, 병자호란, 한일합병, 한국전쟁, 남북분단 등의 수많은 치욕을 당하고도 그것을 곧바로 잊어버린다는 것이다. 세 번째는 수치심이 전혀 없기 때문에, 박정희, 전두환, 노태우, 이명박, 박근혜처럼 온갖 패륜적인 일들을 다 연출해놓고도 그것을 너무나도 자랑스러워한다는 것이고, 네 번째는 하나님의 은총이라도 받은 듯이 전인류의 치욕으로 선정되었다는 것이다.

정도경
춘풍매화

늘씬한 날개
해맑은 눈동자
기름 바른 제비몸매

연초록색 옷 입고
매화 당 뜨락 찾아 와
색깔 나는 봄말하는 춘풍

빨갛게 윤기 오르는 살결
앗 뜨거 – 앗 뜨거
엷은 속옷 갈아입는 매화

옆구리 간질이다
발바닥 간질이다
마음속 간질이다

맨살 들어낸 꽃말

색깔 말 봄 냄새에

꽃잎치마 펼쳐 호들갑떠는

기생의 색

기생의 피

기생의 넋

―정도경 시집, 『춘풍매화』에서

정도경 시인의 「춘풍매화」는 대단히 재미있고, 아름다운 사랑이야기를 극적인 구조로 완성시켜놓고 있다고 할 수가 있다. 대단히 재미가 있다는 것은 사랑이라는 영원불멸의 주제를 매우 참신하고 새롭게 변주시켜놓고 있다는 것을 말하고, 극적인 구조로 완성시켜놓고 있다는 것은 봄바람과 춘풍매화와의 만남(발단), 봄바람과 춘풍매화의 스킨십(전개), 성性의 향연(절정), 대단원의 완성(결말) 등의 이야기 체계가 갖추어져 있다는 것을 말한다. 춘풍매화는 "늘씬한 날개"를 가졌고, "해맑은 눈동자"를 지녔으며, "기름 바른 제비몸매"를 뽐낸다. 이 춘풍매화를 찾은 봄바람은 "연초록색 옷 입고/ 매화 당 뜨락 찾아 와/ 색깔 나는 봄말"로 춘풍매화를 유혹한다(1-2연 발단). 춘풍매화는 여성이 되고, 봄바람은 남성이 된다. 제3연의 "빨갛게 윤기오르는 살결/ 앗 뜨거 – 앗 뜨거/ 엷은 속옷 갈아입는

매화"라는 시구와 제4연의 "옆구리 간질이다/ 발바닥 간질이다/ 마음속 간질이다"라는 시구는 성의 향연 이전의 스킨십에 해당되고, 제5연의 "맨살 들어낸 꽃말/ 색깔 말 봄 냄새에/ 꽃잎치마 펼쳐 호들갑떠는"이라는 시구는 성의 향연의 절정에 해당된다. 매화의 꽃말은 고결한 마음, 깨끗한 마음, 인내 등으로 설명할 수가 있지만, 이에 반하여, 그 꽃말과는 정반대로 정조관념이 전혀 없는 "기생의 색/ 기생의 피/ 기생의 넋"이 춘풍매화라는 것은 기존의 고정관념에 대한 가치전복을 의미한다(결말). 춘풍매화는 기생의 색이고, 춘풍매화의 몸에서는 기생의 피가 흐르고, 춘풍매화의 넋은 기생의 넋에 지나지 않는다. 기생이란 열녀나 현모양처와는 정반대로 수많은 한량들을 상대로 술과 몸을 파는 여성을 뜻하고, 이와 동시에 수많은 남성들과 그 가정을 파괴시키는 악녀들을 뜻한다.

하지만, 그러나 정도경 시인의 「춘풍매화」의 "기생의 색/ 기생의 피/ 기생의 넋"을 문자(고정관념) 그대로 해석을 해서는 안 된다. 이때의 "기생의 색/ 기생의 피/ 기생의 넋"은 선악을 초월해 있는데, 왜냐하면 성욕이란 우리 인간들의 근본적인 욕망이기 때문이다.

성욕에는 대상도 없고 금기도 없다. 따라서 대상도 없고 금기도 없기 때문에, 서로간의 눈길만 마주쳐도 욕망의 불꽃이 활화산처럼 타오르게 된다. 모든 악질적인 사건의 연출자는 성욕이라고 할 수가 있지만, 그러나 자연-성욕에는 도덕도 없고 불륜도 없다. 고결한 마음도 없고, 깨끗한 마음도 없다. 안토니우스의 사랑도 아름답고, 클레오파트라의 사랑도 아름답다. 돈주앙의 사랑도 아름답고, 양귀비의 사랑도 아름답다. 성욕은 불꽃이며, 활화산이며, 대폭발과도 같다. 이처럼 자연스러운 성적 욕망을 억압한다는 것 자체가 반인륜적인 만행이며, 종족의 명령에 거역하는 대역죄에 해당된다고 하지 않을 수가 없다. 우리들의 기생의 마음이 고결한 마음이고, 깨끗한 마음이며, 또한 우리들의 기생의 참을성(인내)이 엄동설한을 굴복시켜, 드디어, 마침내 삼천리 금수강산을 '꽃잎치마'로 물들이고 있다고 하지 않을 수가 없다. 정도경 시인의 「춘풍매화」는 너무나도 아름답고 사랑스러운 '기생예찬론'이며, '성의 향연의 진수'라고 하지 않을 수가 없다.

박분필
어느 호수, 2016년

호수가 말랐다

세상이 저토록 많이 썩어있었나 물이 빠진 후에야
드러나는 바닥

호수의 백성인 물고기가 호수바닥을 도구도 없이 입
으로 판다

등이 말라버리면 죽을 수밖에 없는 물고기들이 진흙
바닥을, 희망을 판다

분노와 함성 그리고 촛불을 들고 광화문광장으로 나
간 국민들도 병명이 불분명한 병을 앓느라 통증과 슬픔
이 탄흔처럼 가슴에 박힌 채로 안방에서 TV를 지켜보
고 있는 국민들도 똑 같은 꿈을 꾸는, 똑 같은 백성이다

꿈은 주로, 이룬 것이 없을 때

가진 것이 없다고 생각했을 때

  낭떠러지 앞이라 느껴질 때 꾸게 되는데

  딛을 만한 곳을 딛었다고 생각했는데 바위에 걸려 넘어졌다 피할 곳에 피했다고 믿었는데 집이 무너졌다

  지금은 시원한 물이 아닌 마시면 오히려 더 목말라지는 바닷물 같은 시대

  감당하기 힘든 시대적 절망 앞에서
  네 탓, 또 네 탓 모두가 탓, 탓으로 왕왕대는 동안도 호수의 백성인 물고기 한 마리, 앞도 뒤도 돌아보지 않고 꾸준히 바닥을 판다
  꽃피는 것 같은 고통을 참고 견디며 물구멍을 찾아 바닥 밑, 그 밑바닥을 파고 또 판다
  ──『애지』, 2017년 봄호에서

국가가 있고, 국민이 있으며, 그 다음에 왕이 있다. 하지만, 그러나 이 정상적인 서열관계가 뒤집힌 국가가 있는데, 그것은 왕이라는 자가 사악하여 '왕은 곧 국가'라고 선언해버렸기 때문이다. 이 전제국가, 아니, 이 독재국가에서는 왕이 있고, 국가가 있으며, 그 다음에 국민이 있게 된다. 왕은 그의 절대적인 권력으로 국가를 장악하고, 그 국가의 국민들의 생사여탈권을 다 움켜쥐게 된다. 모든 국민들은 초근목피草根木皮로 연명을 하거나 남부여대男負女戴와 유리걸식流離乞食으로 떠돌아다니게 되고, 국력과 민심이 이반되어 국가의 존립자체가 문제가 되고 있는데도, 소위 몇몇의 왕족들과 부자들만이 태평천하를 노래하게 된다.

박분필 시인의 「어느 호수, 2016년」은 현대판 독재국가의 비극적인 참상을 아주 우화적으로 노래한 시라고 하지 않을 수가 없다. 호수는 국가가 되고, 국민은 물고기가 되고, 서로가 서로를 향하여 '네 탓 공방'만을 벌이는 자들은 소수의 왕족과 귀족계급이 된다. 호수가 말랐고, 국가가 썩었다. "호수가 말랐다/ 세상이 저토록 많이 썩어있었나 물이 빠진 후에야 드러나는 바닥"이라는 시구는 이른바 '최순실—박근혜 국정농단사태'의 전말을 말해주고, 그 결과, 수많은 국민들이 최하 천민의 생활 끝에, 손에 손을 맞잡고, "분노와 함성 그리고 촛불을 들고 광화문광장"으로 나가게 되었던 것이다. 왜냐하면 "믿을 만한 곳을 믿었다고 생각했는데 바위에 걸려 넘어"졌기 때문이고, "피할 곳에 피했다고 믿었는데 집이 무너"졌기 때문이다.

한국병은 다음과 같은 네 가지로 설명할 수가 있다. 첫 번째는 어느 누구도 기초생활질서를 지키지 않는 것이고, 두 번째는 '주입식 암기교육과 표절과 대사기꾼의 탄생'의 교육제도라고 할 수가 있다. 세 번째는 몇몇 거대재벌들의 부의 세습이고, 네 번째는 주한미군과 남북분단이라고 할 수가 있다. 교통신호등을 지키는 것, 음주운전을 하지 않는 것, 사기를 치거나 좀도둑질을 하지 않는 것, 뇌물을 주고 받지 않는 것, 탈세를 하거나 쓰레기를 함부로 버리지 않는 것은 그야말로 기초생활질서이며, 상호신뢰와 투명사회의 지름길이라고 할 수가 있다. 모든 교육의 목표는 백만 두뇌를 양성하고 세계적인 사상가들을 배출해내는 것이며, 이 세계적인 사상가들의 업적에 의하여 우리 대한민국의 번영이 약속되는 것을 물론, 우리 한국인들의 행복지수가 올라가게 된다. 한 사람의 사상가는 '천하무적의 지적 자산가'이자 전인류의 스승인 만큼 우리 한국인들을 모두 먹여살릴 수가 있는 것이다. 하루바삐 독서중심의 글쓰기교육제도를 채택하여 세계적인 표절국가라는 오명을 씻어버리고, 매년 해마다 노벨상 수상자를 배출해내지 않으면 안 된다. 재벌, 즉, 부자들은 한 나라의 경제를 담당하고 있는 만큼, 그토록 끈질긴 소유욕과 이기심을 버리고, 그의 경제철학과 함께 전재산을 사회에 환원하고 죽어가지 않으면 안 된다. 부의 세습은 국가경제의 암적인 종양이며, 대다수의 국민들의 근로의욕과 삶에의 의지를 꺾어버리게 된다. 자기 땅, 자기 영토를 자기 스스로 지키지 못하고 이민족의 군대에게 맡기는 나라처럼 어리석은 나라도 없고, 그 결과, 대한민국처럼 오래 분단된 나라도 없다. 남북통일은 주한미군을 철수시키는 데에서부터 시작해야 하며, 그 어떤 강대국의 입김도 단호하게 거부할 수 있지 않으면 안 된다.

우리 한국인들은 수천 년 이래 자기 발전이 불가능한 민족인데, 왜냐하면 문화선진국의 장점은 배우고 나쁜 점은 과감하게 시정해야 되는데도 그렇게 하지 못하고 있기 때문이다. 그 결과, 딛을 만한 곳도 벼랑 뿐이고, 피할 만한 곳도 다 무너진 폐가 뿐이라고 할 수가 있다. 바닥은 썩었고, 새로운 물도 유입되지 않으며, 그나마 남은 물마저도 염도가 강한 소금물뿐이었다. 꿈도 이루어지지 않고, 가진 것도 없고, "분노와 함성"으로 촛불을 들고, 밑바닥을 파고, 또 판다. '어느 호수'는 썩은 호수이고, 2016년은 대한민국호의 시곗바늘이 떨어진 해와도 같았다.

최순실, 박근혜, 김기춘, 조윤선, 우병우, 안종범, 이재용, 신동빈, 정유라 등과도 같은 국정농단의 장본인들을 본다는 것은 그야말로 못볼 것을 보았다는 점에서는 구토가 일어나고, 이 세상의 삶이 다 끝장이 난 것처럼 모든 의욕을 상실하게 만든다. 박분필 시인의 「어느 호수, 2016년」은 그 어떤 구원의 손길도 오지 않는 아귀지옥이라고 해도 과언이 아니다. 뇌물이 윤활

유가 되고, 표절이 출세의 보증수표가 된다. 부의 세습이 국가의 목표가 되고, 남북분단과 주한미군의 주둔이라는 치욕이 영원한 제국의 상징이 된다.

정치란 무보수 명예직이 기본이며, 우리 국회의원들에게는 세비 오천만원과 비서 1명이면 충분하다. 조국과 민족을 위해서 사심없이 그 모든 지식과 경험을 통하여 봉사를 하게 될 때, 대한민국 사회는 투명사회가 되고, 전세계인들의 존경을 받는 국가가 될 수 있을 것이다. 정치인들이 사심을 버리면 윗물이 맑아지고, 부자들이 마음을 비우면 모든 암세포가 다 사라진다. 독서중심의 글쓰기교육을 하면 '저출산-고령화의 문제'도 해결되는 것은 물론, 세계적인 사상가들이 탄생하게 되고, 주한미군이 철수하면 남북이 통일되고, 영원한 제국의 깃발이 날리게 된다.

시에는 사악한 생각이 하나도 없다(공자). 박분필 시인의 「어느 호수, 2016년」은 그의 조국에 대한 사랑노래이며, 절망의 깊이에서 희망을 길어올리는 시라고 생각한다. 시를 읽으면서 생각하지 않으면 시의 참맛을 알 수 없고, 시를 쓰면서 생각하지 않으면 그 깊은 울림이 없게 된다.

　나 역시도 박분필 시인과 함께, 하루바삐 한국병과 그 시대적 절망을 딛고, '어느 호수'는 삼천리 금수강산의 거울이 되고, 우리 한국인들의 행복지수는 세계 최고가 될 그날을 손꼽아 기다린다.

이순화
덩굴 숲 이야기

1.

사흘 멀다하고 꽃그늘 잡아 뜯었습니다 손톱을 세
워, 사랑해사랑해 노래 불렀죠 사랑은 새떼 따라 멀어
져가고 엄마의 주름투성이 거죽 덮어쓴 내가 졸졸 새
고 있었죠

사흘 멀다하고 붉은 꽃 따 먹었죠 검은 입술 쓱쓱 문
지르며, 나는 야위어 돌아와 돌아와 노래 불렀죠 새떼
쫓아간 아빠는 소식 없고 백일홍 꽃 진 자리 흉터 속
에 들어앉아 나는 나방이 되는 꿈꾸었죠, 꼬물꼬물 산
거미가 내리는 저녁이야 엄마! 나는 발 동동 구르며 마
흔 지나 스물 지나 통쾌하게 뛰어내려 한 살 애벌레가
되었죠 횃대에 붉은 수탉이 마당으로 달려 나와 내 목
덜미 쪼아 댔죠 구구구구― 마당을 구르는 천둥소리 저
건 아빠 발소리야, 나는 꽃그늘 아래로 꾸물꾸물, 내

가 줄줄 새고 있었죠 피, 피, 엄마! 끝 간 데 없이 광활한 이 적막

작열하는 태양아래 울컥울컥 올라오는 헛구역질

2.
나는 결국 벌레가 되어 죽고 말겠지만,

그 언젠가 엄마가 붉은 장닭을 쫓아 칡나무 아래로 뛰어들었을 때 아버지는 도끼로 칡 밑둥을 찍어 내렸다 덩굴 숲에 숨어있던 나는 벌벌 떨며 공단주름치마를 활짝 펼쳐 붉은 칡꽃을 아버지께 보여드렸던가 아버지 두 손이 퍼렇게 물들었고 나는 가늘고 긴 손으로 아버지 목덜미를 칭칭−

칡넝쿨이 내 발목을 칭칭 감고 있다 나는 바등바등이 흉물을 떨쳐내려 안간힘을 쓰고 깊은 계곡의 바람 냄새가 이미 가득 들어찬 이불 속에서 커다란 손이 서늘한 손이 내 허리를 이런, 내 공단치마 주름 겹겹이 스멀거리는 자줏빛 꽃숭아리 나는 시퍼렇게 시퍼렇게

물들어가고 점점 뜨거워져

꿈인 듯, 꿈 아닌 듯 몸 활짝 열어

— 『애지』, 2017년 여름호에서

어린 남자 아이는 태어날 때부터 엄마를 사랑하고, 그 엄마를 소유하고 싶어한다. 하지만, 그러나 그 엄마는 이미 아버지가 소유하고 있었고, 그 아버지로부터 '거세위협'을 느낀 어린 남자 아이는 이내 '아버지의 법'에 순응을 하게 된다. 이것이 '외디프스 콤플렉스'가 되고, 언제, 어느 때나 의식의 약한 고리를 뚫고 나와 '살부와 근친상간의 욕망'을 실현시키고자 한다. 이에 반하여, 어린 여자 아이는 이미 자기가 거세된 것을 알고 어머니를 미워하며 아버지를 사랑하게 된다. 프로이트의 말에 따르면, 남자 아이의 콤플렉스는 외디프스 콤플렉스가 되고, 여자 아이의 콤플렉스는 엘렉트라 콤플렉스가 된다. 외디프스 콤플렉스와 엘렉트라 콤플렉스는 일면의 타당성을 띠고 있지만, 그러나 대부분이 그 '성적 욕망−근친상간의 욕망'을 꿈꾸고 있지 않다는 점에서 세계적이고 보편적인 현상이라고는 할 수가 없다.

　이순화 시인은 2013년 『애지』로 등단한 시인이며, 아직 첫시집도 출간하지 않은 신진 시인이다. 나는 2017년 『애지』여름호의 이순화 시인의 「덩굴 숲 이야기」를 읽고 깜짝 놀라지 않을 수가 없었다. 「덩굴 숲 이야기」는 '아빠와 엄마', '딸과 아빠', '딸과 엄마'의 삼각관계의 이야기로 구축되어 있으며, 그 이야기는 너무나도 끔찍한 불륜의 사랑이야기이면서도, 너무나도 자연스러운 근친상간의 이야기라고 하지 않을 수가 없었다. 시적 화자가 "손톱을 세워, 사랑해 사랑해 노래"를 부르면, "새떼 쫓아간 아빠는 소식 없고", 남편에게 소박을 맞은 엄마는 "주름투성이"로 늙어갈 수밖에 없었다. 나는 "발 동동 구르며 마흔 지나 스물 지나 통쾌하게 뛰어내려 한 살 애벌레가 되었죠 횃대에 붉은 수탉이 마당으로 달려 나와 내 목덜미 쪼아 댔죠"라는 시구는 나는 오랜 시간을 거쳐 알에서 애벌레가 되었다는 것을 뜻하고, 그 애벌레의 목덜미를 "붉은 수탉이 마당으로 달려 나와" 쪼아댔다는 것은 마치, 백조로, 황소로 그때 그때마다 변신을 하여 자기 자신의 성적 욕망을 충족시켰던 제우스 신을 연상케 한다. "구구구구—

마당을 구르는 천둥소리 저건 아빠 발소리야"라는 시구는 그 붉은 수탉이 애벌레(딸)의 천적이 아닌 아버지라는 것을 뜻하고, "나는 꽃그늘 아래로 꾸물꾸물, 내가 줄줄 새고 있었죠 피, 피"라는 시구는 딸과 아빠와의 근친상간을 뜻한다. "작열하는 태양아래 울컥울컥 올라오는 헛구역질"은 그 아빠와의 관계에서 그야말로 막장 드라마처럼 그것이 상상이든, 실제이든 간에 임신을 하게 되었다는 것을 뜻한다.

"나는 결국 벌레가 되어 죽고 말겠지만"은 그 아빠와의 사랑이 실제의 사건이 아닌, 상상 속의 불순한 욕망의 그것임을 뜻한다. 딸이 나방이 된다는 것은 아빠의 여자가 되었다는 것이고, 딸이 애벌레로 죽는다는 것은 아빠의 여자가 될 수 없었다는 것이다. 딸, 그 성적 욕망의 화신인 딸의 아버지에 대한 사랑은 이미 오래 전부터의 일인데, 왜냐하면 "그 언젠가 엄마가 붉은 장닭을 쫓아 칡나무 아래로 뛰어들었을 때 아버지는 도끼로 칡 밑둥을 찍어 내렸기" 때문이다. 이때의 붉은 장닭은 아빠이며, 자기 자신의 남편과의 사랑을 꿈꿨던 엄마의 성적 욕망은 보기 좋게 퇴짜를 맞을 수밖에 없었던 것이다. "덩굴 숲에 숨어있던 나는" 아빠와의 불

룬을 꿈꿨던 '나'이며, 바로 그렇기 때문에, "나는 벌벌 떨며 공단주름치마를 활짝 펼쳐 붉은 칡꽃을 아버지께 보여"드릴 수밖에 없었던 것이다. 붉은 칡꽃은 시적 화자의 성기이며, 바로 그렇기 때문에, "나는 가늘고 긴 손으로 아버지 목덜미를 칭칭" 감을 수밖에 없었던 것이다. "아버지 두 손이 퍼렇게 물들었다"는 것은 그 딸 아이와의 정사를 위해 그의 아내를 도끼로 물리쳤을 때의 상흔이며, 그 아버지의 행위에 감동한 딸 아이는 아버지의 목덜미를 칭칭 감을 수밖에 없었던 것이다.

칡넝쿨은 언제, 어느 때나 제멋대로인 성적 욕망의 상징이며, 이 성적 욕망에 사로잡힌 사람은 마치, 한 마리의 불나방처럼 그 장엄한 최후를 장식하게 된다. "칡넝쿨이 내 발목을 칭칭 감고 있다"는 것은 나는 결코 근친상간의 욕망에서 빠져나올 수가 없었다는 것을 뜻하고, 따라서 그 엄마와의 경쟁에서 최종적인 승리를 하게 되었다는 것을 뜻한다. 나는 때때로, 너무나도 이성적으로, "바둥바둥 이 흉물을 떨쳐내려 안간힘을" 써보지만, 그러나 그것은 한낱 도로아미타불의 수고일 뿐, "계곡의 바람 냄새가 이미 가득 들어찬 이불 속에서 커다란 손이 서늘한 손이 내 허리를 이런, 내

공단치마 주름 겹겹이 스멀거리는 자줏빛 꽃송아리 나
는 시퍼렇게 시퍼렇게 물들어가고 점점 뜨거워져// 꿈
인 듯, 꿈 아닌 듯 몸 활짝 열어" 그 아빠와의 정사를
하지 않을 수가 없게 된다.

　내가 밤마다 그대를 기다리며 손톱을 깎으면 손톱이
애벌레처럼 고물거리고, 나는 꽃잎처럼 얇아져 그대를
기다리며 새로 태어나게 된다.
　나비, 나비, 끝끝내 알을 낳고 죽어가는 나비―. 이
나비의 꿈 앞에, 아빠는 다만 한 사람의 사내에 지나지
않는다(「아무렇지 않게 아무렇게」).

　만일 그렇다면 딸에게 있어서 아빠란 무엇이고, 엄
마란 무엇이란 말인가? 이 성적인 사랑의 대상으로서
아빠는 종의 건강과 행복이 약속되는 남자이며, 그 남
자와의 사랑을 위해서는 자기 자신의 영혼과 육체까지
도 다 바치고 싶어한다. 어떤 위험, 어떤 최악의 사태
는 안중에도 없으며, 오직 종의 건강과 행복만을 생각
한다. 이에 반하여, 엄마는 혈연적인 육친관계라는 것
이 부끄러울 정도로 다만 적대적인 경쟁관계이며, 그

엄마로부터 아빠를 빼앗고만 싶어진다. '소박맞은 엄마—버림받은 엄마'에 대한 죄책감이나 미안한 마음도 없이 너무나도 뜨겁고 치명적인 정사를 나누고, 그 이야기들을 '아무렇지 않게', 또는 '아무렇게' 이처럼 극적으로 들려주고 있는 것이다.

이순화의 시들은 불순하다 못해 충격적이고, 충격적이다 못해 혁명적이다. 이 심리학적, 생리학적, 역사철학적 지식도 놀라웁고, 그 사랑의 이야기와 그 하나 하나의 장면들도 아름답다. 가히 충격적이며, 독보적이고, 한국문학의 새로운 기원의 창시자가 되었다고 하지 않을 수가 없다. 가족도 근친상간적이고, 민족도 근친상간적이다. 종족도 근친상간적이고, 모든 사랑은 다 근친상간적이라고, 이순화 시인은 '나비의 꿈'을 통해서 이처럼 선언하고 있는 것이다.

모든 사랑은 근친상간적이며, 낙천주의를 양식화시킨 것이다.

이대흠
장흥

장흥에서 조금 살다보면 누구든지
장흥 사람들이 장흥을
자웅이라 부른다는 것을 알게 된다

하지만 자웅을 알게 되었다고 해서
장흥 사람이 되는 것은 아니다

장흥 사는 사람과
자웅 사람은 다르다

자웅 장에 가서
칠거리 본전통이나 지전머리를
바지자락으로 쓸어 본 사람이라야 겨우
물짠 자웅 사람이 된다

독실보건 백롱쏘건
예양강에 붙은 어느 또랑에서라도
뫼욕을 해 본 경험이 있다면
자응에 간이 배고
자응으로 척척해진 사람이랄 수 있다

자응에 아조 뿌리를 내리면
장서 나서
장서 자라고
장가 있는 장고나
장여고를 나온 토백이가 된다

장흥에서 자응으로 가는 데는
십 년이 족히 걸리고
자응에서 또 자앙, 장으로 가는 데는
다시 몇 십 년이 걸린다

거기다가
'자응가'라는 말이
'장흥에'라는 뜻으로 쓰인다는 것을

알기에는 너무 먼 거리인데다

비포장도로라서

어지간한 사람은

됫겟똥 다리를 건너기 전에

심이 파하고 만다

— 『애지』, 2016년 겨울호에서

📖

　어린 아이가 서양에서 태어났다면 기독교도가 되었을 것이고, 아랍에서 태어났다면 회교도가 되었을 것이고, 그리고 그 어린 아이가 인도에서 태어났다면 힌두교도가 되었을 것이다. 어린 아이의 신앙은 어른들이 강제로 주입한 것이지, 어린 아이가 모든 종교의 교리를 알고 그 신앙을 받아들인 것은 아니다. 장 자크 루소는 그의 『에밀』에서 이처럼 '범신론'을 주창하고 기독교의 '유일신'을 비판한 바가 있지만, 모든 종교, 언어, 전통, 문화, 역사 등은 '지리地理'에서 시작된다고 해도 과언이 아니다. 모든 종교, 언어, 전통, 문화, 역사 등의 최종심급은 '지리'인데, 왜냐하면 지리가 삶의 목표와 삶의 태도를 결정해주고 있기 때문이다. 농부에게는 농부의 꿈과 농부의 삶이 있는 것이고, 어부에게는 어부의 삶과 어부의 꿈이 있는 것이고, 양치기에게는 양치기의 꿈과 양치기의 삶이 있는 것이다. 농부와 어부와 양치기는 다같은 인간이기는 하지만, 그러나 그들이 살고 있는 땅과 그 환경에 따라서 그들의 신앙과 가치관이 달라지고, 이 '다름'에 따라서 서로가 서로를 인정할 수 없는 적대적인 관계로 변모하게 된다. 지리가 다르면 이민족이 되고, 이민족이 되면 서로가 서로를 인정할 수 없는 불구대천의 원수가 된다. 이민족과는 한솥밥을 먹을 수가 없다는 것—, 이것이 모든 민족의 진리라고 할 수가 있는 것이다.

고향이란 말은 타향이라는 말과 짝지어 있고, 민족이란 말은 이민족(오랑캐)이란 말과 짝지어 있다. 기독교란 말은 이교도란 말과 짝지어 있고, 사랑이란 말은 미움이란 말과 짝지어 있다. 고향과 타향이란 말도 이음동의어이고, 민족과 이민족이란 말도 이음동의어이다. 기독교와 이교도란 말도 이음동의어이고, 사랑과 미움이란 말도 이음동의어이다. 모든 이분법은 동일한 사건과 동일한 현상을 그 주체자들의 위치와 입장에 따라서 바라본 논리에 지나지 않으며, 그것은 상호 적대적인 세력들이 사용하는 선입견에 지나지 않는다.

이대흠 시인의 대단히 아름답고 뛰어난 「장흥」이란 시를 읽으면서, 고향이란 무엇인가를 생각했고, 다른 한편, 타향이란 무엇인가를 생각해보지 않을 수가 없었다. 고향이란 자기가 태어나서 자란 곳을 말하고, 타향이란 자기가 태어나고 자란 곳이 아닌 타인들의 고향을 말한다. 이 고향의 역사는 지리의 역사이며, 이 지리의 역사는 그곳 주민들의 삶의 총화라고 할 수가 있다. 내가 태어나서 내가 살고 있는 곳, 아버지와 어머니가 살고 있고, 모든 조상들의 영혼과 그 삶의 결들이 살아 있는 곳, 내 몸에 맞는 언어와 음식이 있고, 나의 힘찬 일터와 놀이터가 있는 곳이 고향이라면, 이 고향은 고향 사람들의 삶의 터전이라고 할 수가 있다. 하지만, 그러나 고향이라는 말은 타향이라는 말을 싫어하며, 그 타향 사람들을 향하여 적대적인 경계심을 거두어 들이지 않게 된다. 소위 '텃세'이며, 이 '텃세'는 모든 전쟁의 근본원인인 영토싸움의 기원이라고 할 수가 있다.

이대흠 시인의 「장흥」은 그의 고향 노래의 진수眞髓이며, 고향에 대한 사랑이 그의 뼈마디에 배어 있는 말이라고 할 수가 있다. 고향은 고향 사람들을 불러모으고, 고향은 타향 사람들을 멀리 한다. 고향은 고향 사람들에게 그 고장의 언어와 역사를 가르쳐 주고, 또한, 고

향은 고향 사람들에게 타향 사람들을 멀리 하는 법을
가르쳐 준다. 고향 사람들과는 한솥밥을 먹을 수가 있
지만, 타향 사람들과는 한솥밥을 먹을 수가 없다. '텃
세'라는 말은 금성철벽金城鐵壁과도 같은 말이며, 이 텃
세라는 말은 타향살이의 피 맺힌 한이 배어 있는 말이
기도 하다. '장흥'은 표준어이고, '자응'은 사투리이다.
하지만, 그러나 '자응'은 자응 사람들에게는 표준어가
되고, '장흥'은 자응 사람들에게는 사투리가 된다. 자
응에 살려고 하면 '장흥'이라는 사투리를 버리고, '자
응'이라는 표준어를 쓰지 않으면 안 된다. 왜냐하면
"장흥 사는 사람과 자응 사람"은 엄연히 다르기 때문
이다. 장흥 사람을 버리고 자응 사람으로 살아가려면
"자응 장에 가서/ 칠거리 본전통이나 지전머리를/ 바
지자락으로 쓸어 본 사람이라야 겨우/ 물짠 자응 사람
이 된다." '자응 장'은 자응 사람들의 삶과 삶이 만나
며 그 삶의 결을 이루는 곳이고, 따라서 "자응 장에 가
서/ 칠거리 본전통이나 지전머리를/ 바지자락으로 쓸
어" 보지 않으면 자응 사람이 될 수가 없다는 것이다.
"물짠 자응 사람"은 자응 바닷가의 물이 몸에 밴 사람
이며, "독실보건 백룡쏘건/ 예양강에 붙은 어느 또랑

에서라도/ 뫼욕을 해 본" 사람이며, 더군다나 "물짠 자
웅 사람"은 "자웅에 간이 배고/ 자웅으로 척척해진 사
람"이라고 할 수가 있다. "자웅에 간이 배고/ 자웅으
로 척척해진 사람"은 타향 사람들이 타향살이의 한을
극복하고 자웅 사람이 되었다는 것을 뜻하고, 이때에
"자웅에 간이 배고/ 자웅으로 척척해진 사람"이라는
시구는 이제 그는 자웅 사람 못지 않게 자웅 사람이 되
었다는 것을 뜻한다.

하지만, 그러나 장흥을 자웅이라고 부른다고 해서
자웅 사람이 되는 것도 아니고, 자웅 장에 가서 칠거
리 본전통이나 지전머리를 바지자락으로 쓸어보았다
고 해서 자웅 사람이 되는 것도 아니다. 독실보건 백
룡쏘건 예양강 또랑에서 목욕을 해보았다고 해서 자웅
사람이 되는 것도 아니고, 자웅에 간이 배고 자웅으로
척척해진 사람이라고 해서 자웅 사람이 되는 것도 아니
다. "장흥에서 자웅으로 가는 데는/ 십 년은 족히 걸리
고", "자웅에서 또 자앙, 장으로 가는 데는/ 다시 몇 십
년이 걸린다." 하지만, 그러나 이 '십 년', 아니, 또 '몇
십 년'마저도 장흥 사람에서 자웅 사람이 되기에는 턱
없이 부족하기만 한데, 왜냐하면 "'자웅가'라는 말이/

'장흥에'라는 뜻으로 쓰인다는 것을/ 알기에는 너무 먼 거리인데다/ 비포장도로라서/ 어지간한 사람은/ 뒹겟 똥 다리를 건너기 전에/ 심이 파하고" 말기 때문이다.

십 년, 또는 몇 십 년은 장흥 사람이 자웅 사람이 되기에는 턱없이 부족한 시간이고, 따라서 장흥 사람은 영원히 자웅 사람이 될 수가 없다는 말과도 같다. 이민족은 이민족이고, 이교도는 이교도이며, 타향 사람은 어디까지나 타향 사람일 뿐이다. 고향 사람과 타향 사람은 물과 기름과도 같은 관계이며, 그 지리적 특성, 혹은 그 태생적 한계 때문에, 영원히 '하나'가 될 수 없는 그런 관계에 지나지 않는다. 만일, 그렇다면 어떻게 해서 자웅 사람이 되고, 어떻게 해서 자웅 사람으로 살아갈 수가 있단 말인가? 그것은 두말할 것도 없이 "장서 나서/ 장서 자라고/ 장가 있는 장고나/ 장여고를 나온 토백이가 된다"라는 시구에서처럼, 자웅서 나고, 자웅서 자라고, 자웅에 있는 자웅고등학교와 자웅여고를 나온 사람이지 않으면 안 된다.

정답고 그리운 마음도 고향으로 달려가고, 모든 타향살이의 서러움도 고향으로 달려간다. 아버지와 어머니를 보고 싶은 마음도 고향으로 달려가고, 친구와 첫 사랑을 만나고 싶은 마음도 고향으로 달려간다. 고향은 영원한 이상낙원이고, 우리들의 행복이 약속되어 있는 곳이다. 고향은 보금자리가 되고, 고향은 울타리가 되어준다. 하지만, 그러나 고향은 '텃세'라는 금성철벽이 쳐져 있는 곳이며, 떠돌이─나그네들에게는 지옥과도 같은 곳에 지나지 않는다.

자웅에서 나고, 자웅에서 공부하고, 자웅에서 살지 않으면 영원히 자웅 사람이 아닌 장흥 사람이라는 것, 바로 이것이 이대흠 시인의 「장흥」의 핵심적인 전언이기도 한 것이다.

텃세가 전세가 되고, 텃세가 월세가 된다. 텃세가 탈세가 되고, 텃세가 혈연주의(민족주의)를 앞세워 수많은 살인과 약탈과 강도짓을 다 연출해낸다. 고향의 역사는 이상낙원이 아니라, 텃세를 부릴 수 있는 곳, 그가 소속된 집단(패거리)을 위해 그 모든 짓을 다해도 되는 그런 곳인지도 모른다.

이대흠 시인의 '장흥'에서 '자웅'까지의 그 엄청난 모천회귀의 과정을 생각해본다면─.

모든 역사는 고향의 역사이며, 이 고향의 역사는 지리에서 시작된다.

이재무
애국자

　나는 시래기국을 좋아한다 나는 얼큰 수제비를 좋아하고 소면을 삶아서 우려낸 멸치국물에 넣은 가는 국수를 좋아한다 나는 비계를 넣고 끓인 비지를 좋아한다 나는 밀개떡을 좋아하고 수수팥떡을 좋아한다 나는 되직한 된장국을 좋아하고 맵고 칼칼한 칼국수를 좋아한다 나는 동짓날의 새알이 들어있는 팥죽을 좋아하고 얼음이 동동 뜬 동치미를 좋아한다 나는 장아찌를 좋아하고 마늘종을 좋아한다 나는 슴슴한 가지나물, 고사리나물, 콩나물, 명이나물, 톳나물, 돌나물, 돈나물, 시금치나물, 취나물, 숙주나물을 좋아한다 나는 냉이무침, 달래무침, 머위무침을 좋아한다 나는 배추 국, 무국, 토란국을 좋아한다 나는 강된장을, 데친 호박잎에 싸서 먹는 것을 좋아한다 나는 깻잎저림을 좋아한다 나는 구운 김을 좋아한다 나는 감자볶음, 버섯볶음을 좋아한다 나는 붕어찜을 좋아한다 나는 석쇠에 구운 미꾸

라지를 좋아한다 나는 된장을 풀어 민물새우에 애호박
을 썰어 넣고 끓은 민물새우탕을 좋아한다 나는 한여름
밤 마당에 펼쳐놓은 멍석에 앉아 늦은 저녁 밥상 위에
올라온 물김치에 뜬 별빛을 수저로 떠먹는 것을 좋아
한다 논둑을 타고 올라와, 따라놓은 막걸리 사발에 덤
벙덤벙 뛰어든 노란 개구리 울음 방울들을 손가락을 휘
저어 목젖이 꿈틀대도록 벌컥벌컥 마시기를 좋아한다

　행사장에 태극기를 들고 나가지 않지만 나는 애국
자다

── 『애지』 2017년 봄호에서

유태인들에게는 '나'가 없고 '우리'만이 있다고 할 수가 있다. '나'가 없고 '우리'만 있기 때문에, 유태인들은 이 지구상에서 가장 고귀하고 위대한 민족이 되었다고 할 수가 있다. '우리'는 민족과 조국에 대한 애국심의 산물이며, 전체의 이익을 위해서 '나'를 버릴 때만이 성립되는 집단명사(집합명사)라고 할 수가 있다.

유태인들 중 한 사람이 아프면 유태인 전체가 아프고, 유태인들 중 한 사람이 죄를 지으면 유태인들 전체의 죄가 된다. '우리'는 형제애와 동지애의 산물이고, '우리'는 '민족애'와 '조국애'의 산물이다. 하나의 '나'가 수많은 '나들'로 변모한 것이 '우리'이며, 이 '우리'는 상호간의 믿음과 사랑에 의해서 형성된 집단명사라고 할 수가 있다.

이재무 시인의 「애국자」는 '나와 너의 상관 관계', 또는 조국과 민족에 대한 성찰의 산물이 아니라, 자기 자신의 입맛과 그 미식취향을 적어본 시라고 할 수가 있다. 그는 충청도 두메산골 출신이며, 이 두메산골 출신답게 토속적인 미식취향과 그 입맛을 자랑한다. "나는 시래기국을 좋아한다 나는 얼큰 수제비를 좋아하고 소면을 삶아서 우려낸 멸치국물에 넣은 가는 국수를 좋아한다 나는 비계를 넣고 끓인 비지를 좋아한다 나는 밀개떡을 좋아하고 수수팥떡을 좋아한다 나는 되직한 된장국을 좋아하고 맵고 칼칼한 칼국수를 좋아한다 나는 동짓날의 새알이 들어있는 팥죽을 좋아하고 얼음이 동동 뜬 동치미를 좋아한다 나는 장아찌를 좋아하고 마늘종을 좋아한다"라는 시구가 그것이고, 또한 "나는 슴슴한 가지나물, 고사리나물, 콩나물, 명이나물, 톳나물, 돌나물, 돈나물, 시금치나물, 취나물, 숙주나물을 좋아한다 나는 냉이무침, 달래무침, 머위무침을 좋아한다 나는 배추 국, 무국, 토란국을 좋아한다 나는 강된장을, 데친 호박잎에 싸서 먹는 것을 좋아한다 나는 깻잎저림을 좋아한다 나는 구운 김을 좋아한다 나는 감자볶음, 버섯볶음을 좋아한다"라는 시구가 그것이다.

이재무 시인이 좋아하는 음식은 그 종류도 아주 많고, 특히 우리 충청도 사람들의 입맛에 맞는 것들이 그 주종을 이룬다. 시래깃국, 얼큰 수제비, 국수, 비계를 넣고 끓인 비지, 밀개떡, 수수팥떡, 칼국수, 동지팥죽, 동치미, 장아찌, 마늘쫑, 가지나물, 고사리나물, 콩나물, 명이나물, 톳나물, 돌나물, 돈나물, 시금치나물, 취나물, 숙주나물, 냉이무침, 달래무침, 머위무침, 배춧국, 무, 붕어찜, 석쇠에 구운 미꾸라지, 토란국, 강된장, 호박잎, 깻잎저림, 구운 김, 감자볶음, 버섯볶음, 민물새우탕, 물김치, 막걸리 등은 소위 농촌에서 태어나고 자란 세대의 입맛에 맞는 미식취향이고, 오늘날의 서구화된 신세대의 미식취향과는 전혀 동떨어진 미식취향에 지나지 않는다. 이에 반하여, 오늘날 서구화된 신세대에게는 이재무 시인의 미식취향과 입맛과는 정반대로, 피자, 파스타, 터키식 꼬치구이, 돈까스, 함박 스테이크, 블래이드 스테이크, 리브 스테이크, 포터하우스 스테이크, 캐비어 요리, 달팽이 요리, 송로버섯 요리, 빵, 우유, 치즈, 파리바케트, 포도주, 위스키, 맥주, 바비큐 등이 그들의 미식취향과 입맛에 더 맞을는지도 모른다.

시대가 다르고, 출신성분이 다르면, 그때 그때마다 그 입맛과 미식취향이 변모를 하게 된다. 그런데, 왜,

하필이면, 이재무 시인은 이미 서구화가 급속도로 진행된 서울의 한복판에서, 이미 흘러간 유행가처럼 그 시대착오적인 입맛과 미식취향을 '애국자'의 그것으로 포장해 놓았단 말인가? 자기 자신의 입맛과 미식취향에 맞으면 영원한 애국자가 되고 영원한 동지가 될 수가 있단 말인가? 적어도 그런 것은 아닐 것이다. 이재무 시인이 자기 자신의 입맛과 미식취향을 애국자의 그것으로 포장한 것은 한국인으로서 한국인의 역사와 전통을 사랑하고, 이 역사와 전통을 계승해나갈 때, 그것이 진정한 애국자의 길임을 역설하고 있는 것인지도 모른다.

그렇다. 이재무 시인의 「애국자」의 음식이름과 음식재료는 순수한 우리말과 한국적 특산물로 되어 있고, 이것이 바로 이재무 시인의 한글 사랑과 나라 사랑의 참다운 증거가 되어주고 있는 것이다. 한국인에게는 한국인의 피가 흐르듯이 모국어의 피가 흐르고, 한국인에게는 한국인의 몸매가 있듯이, 한국적 특산물의 효과가 배어 있는 것이다. 한국인이 한국어를 사랑하는 것도 애국자의 길이고, 한국인이 한국적 특산물을 사랑하는 것도 애국자의 길이다. 한국어의 사랑과 한

국적 특산물의 사랑이 진정한 애국자의 길이지, 부정
부패의 장본인인 박근혜를 옹호하고 사대주의(친미주
의)를 수호하기 위하여 "태극기"를 들고 나선 것이 애
국자의 길은 아닌 것이다.

천리 길도 한 걸음부터이다.

애국자의 길은 한국어의 사랑과 함께, 한국적 특산
물, 즉, 한국적 특산물로 표현할 수 있는 한국의 역사
와 전통을 사랑할 때, 저절로 활짝 열리게 되어 있는
것이다.

대통령도, 서울대학교 총장도 표절을 추방하고자 말
하지 못한다.

대통령도, 검찰총장도 부정부패를 뿌리뽑자고 말하
지 못한다.

당신이, 당신들이 과연 애국자란 말이냐?

비록, 굶어죽을지라도 비굴하게 아첨하거나 타인에
게 폐를 끼치지 않으려는 도덕철학이 필요하다. 수많
은 법률과 수많은 규제는 한국병 중의 하나이며, 적
은 법률과 적은 규제로 다스릴 때 문화선진국이 될 수

있다.

문재인 대통령에게는 사면복권하지 않는 것, 이 준법정신이 그 무엇보다도 필요하다.

박정원
물방울지구

커다란 연잎에 자리 잡은 빗방울이
훤히 들여다보이는 물방울지구 같다

아하 바로 내 코앞에서 지구가 뒹굴다니

하늘아래 저편
북극곰이 보이고 아메리카 대륙이 보이고 마다가스
카르가 보이고 시리아가 보이고 한반도 아 내 나라 대
한민국 한쪽, 깨알보다도 조그만 점 하나

예봉산 자락에서 노트북을 켠 나

대지진의 결과물을 생생하게 그려낸다면 침몰된 배
한 척의 이면을 자판으로 두드린다면 대단한 그이의 그
림자를 똑바로 세운다면

산산조각 나겠지

먼지처럼 보이지 않게 떠돌아다니겠지

물방울 속에서

살짝 찌르면 터져버려 물거품이 될 인생들

— 『애지』, 2016년 겨울호에서

이 세상에서 가장 중요한 것은 상상력의 혁명이고, 이 상상력의 혁명은 날이면 날마다, 아니, 매 시간, 또는 일분, 일초 단위로 일어나고 있다고 할 수가 있다. 최초의 전위주의자는 언제, 어느 때나 극소수에 불과했고, 이 극소수의 인간들만이 상상력의 혁명의 주인공이 될 수가 있었다. 하지만, 그러나 대부분의 인간들은 눈 뜬 봉사이고, 말 못하는 벙어리이며, 그 어느 것도 듣지 못하는 바보―천치들에 지나지 않았다. 따라서 이 상상력의 혁명이 구체화되면 이 대부분의 바보―천치들은 그 혁명의 소용돌이 속에서 빠져나올 수가 없게 된다. 방직기계가 가내수공업을 붕괴시켰을 때에도 그러했고, 증기기관이 탄생했을 때에도 그러했다. 자동차와 비행기가 출현했을 때에도 그러했고, 원자폭탄이 투하되고 인공위성이 탄생했을 때에도 그러했다. 인터넷 세상이 탄생했을 때에도 그러했고, 스마트폰 세상이 탄생했을 때에도 그러했다.

상상력의 혁명은 날이면 날마다, 아니, 매 시간, 또는 일분, 일초 단위로 일어나고, 이 상상력의 혁명을 위하여 수많은 인문과학자들과 자연과학자들이 그들의 생사의 운명을 건 싸움을 벌이고 있다고 할 수가 있다. 자연과학과 인문과학은 둘이 아닌 하나이며, 자연과학과 인문과학의 중심축에는 상상력이 자리를 잡고 있었던 것이다. 모든 사상과 이론은 그것이 성립하기 이전에 상상력의 산물, 즉, 가설에 지나지 않았던 것이고, 이 가설이 인과론적으로 검증되면 그것이 곧 진리로 등극을 하게 되었던 것이다.

상상력이 새로우면 우주를 정복하고, 우주를 정복하면 그의 집이 새로워진다. 그의 집이 새로워지면 그의 잠자리가 달라지고, 그의 잠자리가 달라지면 그의 꿈자리가 달라진다. 하루 하루가 새롭고, 하루 하루가 새 역사의 초석이 된다. 모든 가치를 전복시킨 것도 상상력의 힘이고, 최초의 진리를 탄생시킨 것도 상상력의 힘이며, 새로운 우주를 탄생시킨 것도 상상력의 힘이다. 상상력은 만물의 아버지이며, 모든 신들은 이 상상력의 신봉자에 지나지 않는다. 상상이 상상의 목을 비틀어버리고, 상상이 상상의 등허리에 비수를 들이댄다. 상상과 상상의 싸움은 천둥번개보다도 더 우렁차고, 상상과 상상의 싸움은 빛보다 더 빠른 속도로 그 끝장을 보게 된다. 상상의 역사는 혁명의 역사이며, 이 혁명의 힘에 의해서 모든 것이 가고 모든 것이 되돌아온다.

"커다란 연잎에 자리 잡은 빗방울이""물방울지구"가 되고, 박정원 시인은 이 물방울지구를 통해서 북극곰을 보고, 아메리카 대륙을 본다. 마다가스카르를 보고, 시리아를 보고, 그리고 대한민국을 본다. 상상력이 새로우니까 지구는 물방울이 되고, 상상력이 새로우니까 물방울지구는 투명해지고, 상상력이 새로우니까 그는 천지창조주가 된다. "예봉산 자락에서 노트북을 켠 나"는 마치 최후의 심판을 주재하는 천지창조주처럼, 물방울지구의 미래와 물방울지구의 원주민들의 운명을 다 움켜쥐고 있는 것처럼도 보인다. 대지진의 결과물을 생생하게 그려내도 물방울지구는 폭발할 것이고, 침몰된 배 한 척의 이면을 자판으로 두드려 보아도 물방울지구는 폭발할 것이고, '대단한 그이의 그림자'를 똑바로 세우더라도 물방울 지구는 폭발할 것이다. 대지진의 결과물은 자연의 재앙이 아닌 자본주의의 쓰나미일 수도 있고, 침몰된 배 한 척은 부정부패의 참담한 결과물일 수도 있고, 대단한 그이의 그림자는 한낱 물거품에 지나지 않는 권력의 그것일 수도 있다.

모든 재산을 다 버리면 부자가 될 수가 있고, 모든 명예를 다 버리면 진실해질 수가 있고, 모든 권력을 다 버리면 자유인이 될 수가 있다. 마음의 부자가 되면 진실해질 수가 있고, 진실한 인간이 되면 자유인이 될 수가 있다. 상상은 자유를 먹고 자라고, 자유인은 이 상상의 힘으로 그 꿈을 펼쳐나갈 수가 있다. 상상력의 대가인 박정원 시인의 눈으로 바라보면, 이 세상의 그 모든 것은 다 부질없고 쓸모없는 물방울에 지나지 않는다.

살짝 건드리기만 해도 곧 터져버릴 것만 같은 인생들이, 자기 자신의 정체성과 미래의 운명도 알지 못한 채, 그 모든 악질적인 사건들을 다 연출해낸다.

오오, 인간들이여, 버리고, 또 버려라!

오오, 박정원 시인은 그의 '상상력의 혁명'을 통하여 이처럼 '버림의 미학'을 역설하고 있는 것인지도 모른다.

한 여성이 세 쌍둥이를 낳았는데, 한 명은 백인이었고, 한 명은 흑인이었다. 그리고, 나머지 한 명은 황인종이었고, 그 결과, 그 여성은 전인류의 성모가 되었다. 어떤 인간은 인공지능 알파고의 힘으로 카지노에 갈 때마다 대박을 터트렸고, 그 결과, 지구촌의 모든 카지노 사업은 다 망해버렸다. 어느 생명공학자는 죽음을 모르는 인간이 되었는데, 왜냐하면 그는 만병통치의 백신을 발명했기 때문이었다. 호랑이가 쥐새끼를 낳고, 코끼리가 하마를 낳았다. 누우가 사자의 젖을 먹고, 독수리가 참새의 알에서 깨어났다. 상상의 세계는 무한히 자유롭고 상상의 세계는 거침이 없다. 모든 상상은 죄가 안 되고, 상상은 그 어떤 방해도 없이 그 모든 기적을 다 연출해낸다.

김종윤 안도현

이혜선 반칠환

김상미 유계자

나영순 나태주

이아영 조성범

박수중 유준화

김종윤
비 온 다음 날
— 금강 길 4

온 천지가
눈물 한 섬씩 받아
몸 씻은 날
산봉우리마다 피어나는
붉은 눈물 자국
실컷 울고 난 하늘
한결 깊어지고
붉맑게 흐르는 금강은
가슴과 가슴에
시린 눈물 한 사발씩 건네며
마을을 지나 바다로 간다
우리는
눈물이 많은 짐승이라서
기쁨도 눈물로 풀고
슬픔도 눈물로 푼다

금강의 굵은 눈물 한 줄기는

강물이 되어 끝끝내

바다에 닿는다

― 김종윤 시집, 『금강 천리 길』에서

우리는 기쁠 때에도 울고, 우리는 슬플 때에도 운다. 이 울음의 구체적인 증거가 눈물이고, 눈물이란 삶의 의지의 결정체와도 같다. 의지란 어떤 일을 달성하려는 마음을 말하고, 수많은 갈등과 장애물들을 다 극복하고, 그 목표를 추구할 수 있는 의지를 말한다. 눈물이란 무엇인가? 눈물이란 사람이나 짐승의 눈에서 나와 이물질을 없애거나 각막에 영양을 공급해주는 것을 말하지만, 다른 한편, 기쁘거나 슬플 때, 그 주체자의 심리상태에 따라 흘리는 어떤 것을 말한다. 전자는 생리적인 현상이고, 후자는 심리적인 현상이다. 기쁘다는 것은 그 주체자의 목표가 달성되었다는 것을 뜻하고, 슬프다는 것은 그 주체자의 목표가 달성되지 않았다는 것을 뜻한다. 눈물은 삶의 의지의 결정체이고, 이 눈물은 슬픔의 산물일 수도 있고, 기쁨의 산물일 수도 있다.

김종윤 시인의 '금강종주시편縱走詩篇'『금강 천리 길』은 금강의 발원지인 장수 뜸봉샘에서부터 군산 앞바다까지의 여정을 발과 자전거로 쓴 시집이며, 신동엽 이후 가장 아름답고 탁월한 서정시집이라고 할 수가 있다. 금강은 굵은 눈물 한 줄기이며, 그것은 우리 인간들의 삶의 의지의 결정체일 수밖에 없다. "산봉우리마다 피어나는/ 붉은 눈물 자국/ 실컷 울고 난 하늘/ 한결 깊어지고"라는 시구는 삶에의 의지가 장애를 만났다는 것을 뜻하고, "금강의 굵은 눈물 한 줄기는/ 강물이 되어 끝끝내/ 바다에 닿는다"라는 시구는 수많은 갈등과 장애물에도 불구하고 그 주체자는 끝끝내 그 목표를 달성했다는 것을 뜻한다. 이 실패와 성공, 혹은 이 슬픔과 기쁨 사이에는 서로가 서로에게 "시린 눈물 한 사발씩 건네며", 기필코 그 목표를 달성하고 말겠다는 의지가 있었던 것이고, 그 결과, 넓고 넓은 바다에 다다를 수가 있었던 것이다.

"온 천지가/ 눈물 한 섬씩 받아/ 몸 씻은 날"은 눈물의 정화기능을 말하고, "산봉우리마다 피어나는/ 붉은 눈물 자국"은 아름답고 예쁜 꽃들이 눈물의 꽃임을 말하고, "우리는/ 눈물이 많은 짐승이라서/ 기쁨도 눈물로 풀고/ 슬픔도 눈물로 푼다/ 금강의 굵은 눈물 한 줄기는/ 강물이 되어 끝끝내/ 바다에 닿는다"라는 시구는 모든 목표가 눈물의 소산임을 뜻한다.

금강 천리 길은 우리 한국인들의 삶의 여정이 되고, 바다는 우리 한국인들의 궁극적인 목표가 된다. 요컨대 우리 대한민국도 분명한 목표를 가지고, 그 목표에 따라서 국력과 민심을 결집시켜 나간다면 남북통일은 물론, 세계 제일의 일등국가가 될 수도 있을 것이다.

바다는 영원한 제국의 바다이고, "우리는/ 눈물이 많은 짐승이라서/ 기쁨도 눈물로 풀고/ 슬픔도 눈물로 푼다/ 금강의 굵은 눈물 한 줄기는/ 강물이 되어 끝끝내/ 바다에 닿는다." 아아, 비단강, 즉, 금강이 우리들의 굵은 눈물이라니, 그야말로 '눈물의 기적'이자 '서정시의 승리'라고 하지 않을 수 없다.

금강은 눈물에서 솟아나와 눈물로 흐른다. 금강은 눈물로 꽃을 피우고, 눈물로 바다에 닿는다.

눈물은 지혜가 되고, 눈물은 용기(의지)가 되고, 눈물은 성실함이 된다.

모든 시는 낙천주의를 양식화시킨 것이다.

안도현
그릇

1
사기그릇 같은데 백년은 족히 넘었을 거라는 그릇
을 하나 얻었다
　국을 퍼서 밥상에 올릴 수도 없어서
　둘레에 가만 입술을 대보았다

　나는 둘레를 얻었고
　그릇은 나를 얻었다

2
　그릇에는 자잘한 빗금들이 서로 내통하듯 뻗어 있
었다
　빗금 사이에는 때가 끼어 있었다
　빗금의 때가 그릇의 내부를 껴안고 있었다

버릴 수 없는 내 허물이

나라는 그릇이란 걸 알게 되었다

그동안 금이 가 있었는데 나는 멀쩡한 것처럼 행세

했다

—『시인동네』, 2017년 5월호에서

도자기는 예술작품이고, 사기그릇은 생활용품이다. 도자기는 아름다움이 생명력이 되고, 사기그릇은 실용적인 쓸모있음이 생명력이 된다. 안도현 시인의「그릇」은 생활용품으로서의 그릇이지만, 그러나 그 실용성을 뛰어넘어 예술작품으로 승화된 것이라고 하지 않을 수가 없다. 백년은 사기그릇이 겪었던 만고풍상萬古風霜의 세월을 말해주고, 이 희소성은 사기그릇의 명예로서 번쩍이게 된다. 희소성은 만고풍상과의 싸움에서의 승리를 뜻하고, 이 승리는 불가능을 가능케 한 기적을 뜻한다. 불가능을 가능케 한 기적, 사기그릇에서 예술작품이 된 기적—. 아무튼 백년이 넘었다는 것은 기적이고, 이 기적은 만인들의 찬사와 함께, 그 감동의 드라마를 쓰게 한다. "백년은 족히 넘었을" 사기그릇에다가 "국을 퍼서 밥상에 올릴 수"는 없는 일이며, 따라서 시인은 그 사기그릇의 둘레에 가만히 입술을 대보게 된다. 이때의 입맞춤은 찬사의 입맞춤이고, 감동의 입맞춤이며, 그리하여 사기그릇과 시인의 입맞춤은 사랑의 입맞춤이 된다. "나는 둘레를 얻었고/ 그릇은 나를 얻었다"라는 시구가 바로 그것을 말해준다.

참된 사랑은 영혼이 육체를 감싼다. 참된 사랑은 자기 자신의 영혼과 육체까지도 바치는 사랑이며, 영혼이 아름답고 고귀한 것을 뜻한다면, 육체는 더럽고 추한 것을 뜻한다. 백년도 더 된 시간은 사기그릇의 영혼의 시간을 뜻하고, "그릇에는 자잘한 빗금들이 서로 내통하듯 뻗어 있었다/ 빗금 사이에는 때가 끼어 있었다/ 빗금의 때가 그릇의 내부를 껴안고 있었다"라는 시구는 사기그릇의 육체의 시간을 뜻한다. 아름답고 고귀한 영혼을 위하여 사기그릇의 육체는 수많은 빗금들이 생길 수밖에 없었던 것이고, 따라서 안도현 시인은 그 사기그릇을 사랑하지 않을 수가 없었던 것이다. 왜냐하면 나 역시도 시인이라는 '명예의 관'을 쓰고 "멀쩡한 것처럼 행세"를 해왔지만, 그러나 나의 육체에는 이미 수많은 빗금들이 가 있었기 때문이다. 사기그릇은 시인이 되고, 시인은 사기그릇이 된다. 이 사기그릇과 시인의 사랑은 영원한 사랑이며, 이 영원한 사랑의 물적 토대는 수많은 허물이라고 하지 않을 수가 없다.

허물은 상처이고, 상처는 영원성의 징표이다.

아아, 예술작품으로 승화된 사랑이여!!

나는 나의 애인에게 고통이라는 이름을 부여했다. 나의 인생 전체와 목숨을 걸고 우리 대한민국의 영광과 우리 한국인들의 영광을 위하여 사랑할 수밖에 없었던 고통, 생살을 후벼파는 듯한 부정부패와 표절의 늪에 빠져서 허우적댈 수밖에 없었던 고통—나는 이 고통과의 사랑을 통하여 『행복의 깊이』 네 권을 선사할 수가 있었다.

그렇다.

나는 한국인 최초로 나의 '낙천주의 사상'을 정립하게 되었던 것이다.

이 세상에 고통처럼 키가 크고 아름답고 예쁜 애인은 없다.

이혜선

코이법칙

코이라는 비단잉어는

어항에서 키우면 8센티미터밖에 안 자란다

냇물에 풀어놓으면

무한정 커진다

너의 꿈나무처럼,

— 이혜선 시집, 『운문호일雲門好日』에서

이 세상에서 앎처럼 키가 크고 힘이 센 천하무적의 장사도 없고, 이 세상에서 앎처럼 현명하고 오래 사는 영생불사의 신도 없다. 부처와 예수를 전지전능하게 만든 것도 앎이고, 알렉산더 대왕과 나폴레옹 황제를 탄생시킨 것도 앎이다. 앎은 불가능을 가능하게 만든 기적의 아버지이며, 이 앎(지혜)이 있는 한 우리 인간들은 그 어떠한 박해와 탄압과 좌절과 시련마저도 다 극복해낼 수가 있다. 알렉산더 대왕이 그처럼 열심히 공부하지 않았다면 너무나도 왜소한 난장이가 되었을 것이고, 나폴레옹 황제가 그처럼 열심히 공부하지 않았다면 너무나도 왜소한 난장이가 되었을 것이다. 소크라테스와 플라톤도 마찬가지이고, 데카르트와 칸트도 마찬가지이다. 앎은 모든 천재적인 힘의 아버지이자 모든 기적의 아버지이다.

아는 자는 고귀하고 위대한 꿈을 꾸고, 고귀하고 위

대한 꿈을 꾸는 자는 많이 안다. 많이 아는 자는 어항 속의 8센티미터를 뛰쳐나와 세계적인 대제국을 건설하고 전세계를 지배하게 된다. 이 세계적인 대제국은 앎의 터전에서 앎의 주춧돌, 앎의 서까래, 앎의 대들보, 앎의 종탑, 그리하여 마침내, 사상의 신전으로 그 위용을 자랑하게 된다. 이혜선 시인의 '코이법칙'은 앎의 법칙이자 꿈의 법칙이라고 할 수가 있다. 모든 꿈은 불가능한 꿈이고, 이 불가능을 가능하게 만든 것이 앎의 기적이라고 할 수가 있는 것이다.

위대함이란 크나큰 업적이고, 불가능을 가능하게 만든 업적이다. 아름다움이란 크고 장대한 것을 말하고, 아름다움이란 위대함의 꽃을 말한다.

이혜선 시인은 앎이 육화된 시인이며, 이 '코이법칙'은 그의 최고급의 지혜의 꽃이라고 할 수가 있다.

이 위대함의 향기, 이 '코이법칙'의 향기가 곧 온 세계, 온 우주로 퍼져나가게 될 것이다.

나는 지금 이 순간, '앎의 계엄령'을 선포하고자 한다. 모든 교육은 독서중심의 글쓰기 교육이고, 모든 시험은 독서중심의 글쓰기로 대체할 것이다. 전국의 모든 입시학원은 다 폐쇄할 것이고, 초, 중, 고등학교의 학교 수업은 오후 3시이면 다 끝나게 할 것이다. 모든 공무원과 회사원들마저도 최고급의 논문을 쓴 자들로 채워질 것이고, 사교육비가 하나도 안 들고, '저출산—고령화의 문제'도 단숨에 해결할 것이다.

글을 잘 쓰는 민족이 가장 우월하고 가장 행복한 민족이다.

이 세계는 누가 지배하는가? 이 세계에서 누가 전지전능한가?

글을 가장 잘 쓰는 자이다.

공자, 맹자, 노자, 장자, 호머, 소크라테스, 플라톤, 데카르트, 칸트, 쇼펜하우어, 아인시타인, 뉴턴, 셰익스피어, 괴테 등을 보라! 바로 이 세계적인 인물들이 전 인류의 스승이 아니더냐?

나는 반드시 이혜선 시인의 말을 빌면 '코이법칙', 아니, 나의 말로 말하자면, '낙천주의 법칙'으로 우리 한국인들을 '사상가와 예술가의 민족'으로 육성하게 될 것이다.

반칠환

새해 첫 기적

황새는 날아서
말은 뛰어서
거북이는 걸어서
달팽이는 기어서
굼벵이는 굴렀는데
한날 한시 새해 첫날에 도착했다

바위는 앉은 채로 도착해 있었다

— 반칠환 시집, 『웃음의 힘』에서

대한민국은 오천 년의 역사를 자랑하며, 대한민국의 건국이념은 홍익인간弘益人間이라고 할 수가 있다. 만일, 그렇다면 홍익인간이란 무엇을 뜻하는 말일까? 널리 인간을 이롭게 한다는 것, 바로 이것이 민족시조인 단군 할아버님의 건국이념이었던 것이고, 홍익인간을 다른 말로 풀이하자면, 세계평화와 인류의 행복을 주재하는 인간이라고 할 수가 있다. 단군 할아버님은 대한민국을 지상낙원으로 선택했던 것이고, 우리 한국인들을 이 세상에서 가장 고귀하고 위대한 인간으로 육성해내고자 했던 것이다.

　홍익인간은 우리 한국인들의 미래의 이상형이자 인간 중의 인간이라고 할 수가 있다. 고귀하고 위대한 것은 고귀하고 위대한 민족이 연출해내고, 더럽고 비천한 것은 더럽고 비천한 민족이 연출해낸다. 고귀하고 위대한 민족은 신의 축복을 받은 민족이 되고, 더럽고 비천한 민족은 악마의 저주를 받은 민족이 된다. 만일, 그렇다면 우리 한국인들은 홍익인간이 되기 위하여 무엇을 어떻게 해야 하고, 따라서 어떻게 전인류로부터 존경을 받을 수가 있단 말인가?

첫 번째는 홍익인간을 전인류의 이상으로 제시하고 홍익인간이 주재하는 세계평화와 인류의 행복 속으로, 전세계인들이 스스로, 자발적으로 찾아오게끔 만들지 않으면 안 된다. 대한민국에는 사시사철 금은보화가 만발하고, 모든 것이 가능하고 어느 것 하나 부족한 것이 없는 이상낙원이 되지 않으면 안 되고, 인종차별이나 남녀차별도 없는 대제국이 되지 않으면 안 된다. 두 번째는 삼천리 금수강산에 쓰레기가 하나도 없고, 그 어느 누구도 기초생활질서를 어기지 않는 고급문화인의 국가가 되지 않으면 안 되고, 가장 적은 법률과 가장 적은 규제 속에, 모든 국민이 자유로운 경제활동을 하는 도덕왕국의 입법적 국민이 되지 않으면 안 된다. 세 번째는 주입식 암기교육을 철폐하고 '독서중심의 글쓰기 교육'을 통해, 세계적인 대사상가와 대작가들을 배출해내지 않으면 안 되고, 하늘이 무너져내려도 '사상가와 예술가의 민족'이라는 자부심이 넘쳐나는 민족이 되지 않으면 안 된다. 네 번째는 만인평등과 부의 공정한 분배라는 '홍익인간의 이념' 아래, 부의 대물림을 반드시 뿌리뽑고, 그 모든 것을 다 환원하고 떠나가는 홍익인간의 삶을 살다가 가지 않으면 안 된다. 다섯 번째는 하루바삐 미군을 철수시키고 남북통일을 이룩해내지 않으면 안 되고, 전인류를 대한민국의 사법질서의 품 안으로 끌어들이지 않으면 안 된다. 자유와 평화의 한국인, 그 어떠한 법률과 규제가 없어도 서로가 서로에 대한 사랑을 잃지 않는 한국인, 개성과 창의성으로 무장을 하고 세계평화와 인류의 행복을 주재하는 한국인, 그 어떠한 개인이나 국제적인 분쟁도 단 칼에 해결할 수 있는 '사상가와 예술가의 민족'인 한국인―. 바로, 이것이 내가 생각하는 홍익인간이며, 대한제국의 길이기도 한 것이다.

날이면 날마다 새해 첫날이고, 날이면 날마다 새해 첫 기적이다. 인간은 더럽고 비천하지만, 홍익인간은 고귀하고 위대하다. 더럽고 비천한 인간의 시곗바늘은 곧잘 멈추지만, 홍익인간의 시곗바늘은 영원히 멈추지를 않는다. 더럽고 비천한 인간의 하루는 짧고 그 인생도 짧지만, 고귀하고 위대한 인간의 하루는 10만

년, 아니, 천만 년이 하루로 되어 있다. 날이면 날마다 "황새는 날아서/ 말은 뛰어서/ 거북이는 걸어서" "한 날 한시 새해 첫날에 도착해" 있었고, 날이면 날마다 "달팽이는 기어서/ 굼벵이는 굴러서" "바위는 앉은 채로 도착해 있었다." 날이면 날마다 새해 첫날이고, 날이면 날마다 새해 첫 기적이다. 살아 있다는 것이 반갑고 기쁘고, 그 모든 것이 기적이 되니, 언제, 어느 때나 가슴이 벅차고 권태를 모르게 된다. 아름답고 장엄하게 행복이 피어오르면 그 꿀맛과도 같은 기적이 영원성의 날개를 얻게 된다. 반칠환 시인의「새해 첫 기적」은 1년 365일의 첫 기적이 아니라, 천만 년, 아니, 영원성의 기적이라고 나는 생각한다. 황새, 말, 거북이, 달팽이, 굼벵이, 바위는 홍익인간의 전체를 뜻하고, 그들은 모두가 다같이 그들의 능력과 취향에 따라서 다종다양하고 수많은 기적의 주인공들이 되었다고 하지 않을 수가 없다.

책을 읽지 않으면 바보가 되고, 기적의 주인공이 될 수가 없다. 책만 읽고 글을 쓰지 않으면 이 세상의 어중이 떠중이들이 되고, 기적의 주인공이 될 수가 없다. 전 재산을 그가 소속된 국가와 사회에 환원하지 않고 자기 자신의 자식들에게 물려주면 천하의 수전노가 될 뿐, 기적의 주인공이 될 수가 없다. 영원한 제국의 국민으로서의 긍지와 홍익인간의 이념을 망각하고 이민족(예수 등)을 섬기게 되면 개와 돼지만도 못한 노예가 될 뿐, 기적의 주인공이 될 수가 없다. 홍익인간은 인간 중의 인간이며, 최초의 아버지와 최초의 어머니이다. 언제, 어느 때나 기적은 최초와 손을 맞잡고, 그의 주인인 홍익인간을 종족창시자로 받들어 모신다. 책을 읽는다는 것도 천지창조행위이고, 글을 쓴다는 것도 천지창조행위이다. 전 재산을 그가 소속된 국가와 사회에다가 환원하는 것도 천지창조행위이고, 이민족으로 하여금, 스스로 자발적으로 무한한 경의를 표하게 만드는 것도 천지창조행위이다. 남녀가 만나 자식을 낳고 그 자식들을 기르는 것도 천지창조행위이고, 미래의 이상형인 홍익인간이 되는 것도 천지창조행위이다. 새해 첫날은 최초의 아버지와 최초의 어머니가 되는 날이지만, 이처럼 모든 기적은 새로운 세계와 그 영원성을 지시하게 된다.

아아, 홍익인간弘益人間, 영원한 인류의 아버지―. 이 세상에 고귀하고 위대한 인간은 홍익인간밖에 없다.

오늘도 홍익인간이 부처와 예수와 시바와 알라와 제우스를 짓밟아 버리면서, 이 세상에서 가장 친절하고 부드러운 미소를 짓고 있다.

새해 첫 기적은 영원한 기적이 되고, 홍익인간의 시간과 공간은 무한히 우주적으로 확대된다.

나는 오랫동안 밥 먹고, 잠 자고, 화장실 가는 시간까지 아까워하며 책을 읽고 글을 써왔다. 그 결과, 세계 최초로 낙천주의 사상과 이론을 정립할 수가 있었다.

사상가는 인간 중의 인간이다. 사상가만이 홍익인간이 될 수가 있다.

서울대학교 교수 2천여 명, 아니, 표절을 출세의 수단으로 삼고 있는 우리 학자들 5천만 명이 다 덤벼들어도 낙천주의 사상가인 나를 이길 수는 없다.

나는 '만인 대 일인의 싸움'을 제일 좋아하는 천하의 무적의 용사이기 때문이다.

김상미
오렌지

오렌지
시든, 시드는 오렌지를 먹는다
코끝을 찡 울리는 시든, 시드는 향기
그러나 두려워 마라
시든, 시드는 모든 것들이여
시들면서 내뿜는 마지막 사랑이여
켰던 불 끄고 가려는 안간힘이여

삶이란 언제나 아무것도 남지 않게 될 때에도
남아 있는 법

오렌지 향기는 바람에 날리고
나는 내 사랑의 이로
네 속에 남은 한 줌의 삶
흔쾌히 베어 먹는다
— 김상미 시집, 『우린 아무 관계도 아니에요』에서

오렌지는 감귤 중에 만감류에 속하는 열매이며, 그 모양이 둥글고 주황빛이다. 껍질은 두껍고, 향이 진하며, 즙이 많고, 미국과 브라질이 원산지로 되어 있다. 김상미 시인의 「오렌지」는 시들고 있는 오렌지이며, 아마도 이 오렌지의 시듦은 그 보관상태가 좋지 않았기 때문일 수도 있다. 시든다는 것은 최초로 싹이 트고, 그 꽃이 만발했다는 증거가 되고, 이제는 그 소임을 다하고 '존재의 무'로 되돌아갈 시간이 되었다는 것을 뜻한다. 오렌지가 시든다는 것은 과일로서의 생명이 다끝나고, 그 과육이 썩기 직전의 상태임을 뜻한다. 시든다는 것은 자연의 이치이자 생명의 이치이며, 이제는 또다른 후손에게 그 자리를 물려줄 때가 되었다는 것을 뜻한다. 시듦은 노년의 아픔으로 나타나고, 시듦은 이별의 슬픔으로 성큼 다가온다. 탄생은 죽음의 첫 걸음이라는 말도 있지만, 그러나 오랫동안 정들었던 이 세상을 떠나간다는 것은 이별의 슬픔, 즉, 뜨거운 눈물을 수반한다고 하지 않을 수가 없다.

　김상미 시인은 "시든, 시드는 오렌지를" "코끝을 찡 울리는" 이별의 슬픔이라고 말하고 있는데, 왜냐하면 그녀 역시도 노년의 삶을 서서히 준비할 때가 되었기 때문이다. "코끝을 찡 울리는" 이별의 슬픔은 "시들면서 내뿜는 마지막 사랑"이 되고, "시들면서 내뿜는 마지막 사랑"은 "켰던 불 끄고 가려는 안간힘"이 된다. 빈손으로 왔다가 빈손으로 돌아가야만 하는 삶이지만, 그러나 뜨거운 사랑의 열정과 그 씨앗과 과육을 다 주고 떠나가는 삶이기 때문에 아름답고 행복한 삶일 수도 있다. 노년의 행복과 노년의 아름다움은 육체와 정신의 그것과도 같다. 시듦이 있기 때문에 이별의 기쁨(슬픔)도 있고, 이별의 기쁨(슬픔)이 있기 때문에 그 모든 것을 다 주고 떠나가는 삶을 완성할 수도 있다. 시듦은, 이별은 두려운 것이 아니며, "시들면서 내뿜는 마지막 사랑"과도 같고, "켰던 불" 손수 "끄고 가려는 안간힘"과도 같다.

　삶이란 허무한 것도 아니고, 죽음이란 '존재의 무'로 끝장이 나는 것도 아니다. 삶이란 죽음이 피워낸 꽃이고, 죽음이란 삶이 피워낸 꽃이다. 삶과 죽음이란 둘이 아닌 하나이며, 그 윤회과정에 의하여, 이 세상의 역사는 더욱더 젊고 푸르러지게 된다. 삶도 흔적이고, 꽃도 흔적이다. 죽음도 흔적이고, 탄생도 흔적이다. 이 흔적을 문자로 기록하면 역사가 되고, 이 흔적의 역사를 쫓아가면 새로운 삶이 시작된다. "삶이란 언제나 아무것도 남지 않게 될 때에도/ 남아 있는 법"이란 제일급의 시구가 바로 그것을 증명해준다. 산다는 것은 흔적을 만든다는 것이며, 죽는다는 것은 그 흔적을 남긴다는 것이다.

옛 세대는 가고 새로운 세대가 태어난다. 새로운 세대도 가고, 또다른 세대가 태어난다.

두려워하지 마라!

시듦은 노년의 사랑이며, 시듦은 노년의 향기이다. 시든 오렌지는 나의 피와 살이 되고, 시든 오렌지의 향기는 나의 시의 향기가 된다.

스토아 학파의 창시자인 제논은 어느 날 발을 다치자 스스로 자기 자신의 목숨을 끊었고, 엠페도클레스는 에트나 화산에 몸을 던졌으며, 말년의 노자는 물소를 타고 홀연히 사라졌다고 한다.

아아, 아름답고 행복한 노년의 죽음이여!!

유계자

버려진다는 것

버려진다는 것은 슬픈 일이다
독기가 없다는 것은 더 슬픈 일이다
순하디 순한 것들도
버려지는 순간 독기를 품는 법,
버림당한 풀뿌리를 보아라
암팡지게 흙을 붙잡고
몸을 세우는 저 뜨거움을
버림받는다고 절망할 일은 아니다
차라리 왜 버리느냐고 따져 물을 일이다
한번쯤 속 시원히 물어뜯을 일이다
빳빳하게 날 세운 혈기로
씩씩하게 일어나 세상을 걸을 일이다
우리는 무언가 수없이 버리고
버려지고 버림당했다.
내가 버린 저 하수마저도

반짝반짝 일어나

죽을 각오로 강을 헤엄쳐간다

독기어린 눈으로 새 숨길을 찾아 나선다.

— 유계자 외, 『버려진다는 것』(애지문학회 사화집)에서

유계자 시인은 2016년 『애지』로 등단한 신예시인이며, 「버려진다는 것」은 그녀의 등단작품이다. 버려진다는 것은 쓸모가 없다는 것이며, 쓸모가 없다는 것은 자기 자신의 존재의 정당성과 함께 생존의 위기에 몰렸다는 것을 뜻한다. 다시 말해서, 버려진다는 것은 나의 의사와는 상관없이, 타인들의 의사에 따라서 나의 운명이 결정되었다는 것을 뜻한다.

하지만, 그러나 나는 쓸모 있는 인간이고, 나의 운명은 내가 결정해야 한다는 것이 유계자 시인의 가장 아름답고 탁월한 '독기의 미학'으로 나타나고 있다고 하지 않을 수가 없다. 「버려진다는 것」은 감히 상상할 수도 없는 신예시인의 출세작품이자 삶의 의지의 결정체라고 하지 않을 수가 없다. "버려진다는 것은 슬픈 일이다/ 독기가 없다는 것은 더 슬픈 일이다/ 순하디 순한 것들도/ 버려지는 순간 독기를 품는 법/ 버림당한 풀뿌리를 보아라"는 시구에서처럼, 점층법은 그의 수사법이 되고, 독기는 그의 미학이 된다. "버려진다는 것은 슬픈 일이다/ 독기가 없다는 것은 더 슬픈 일이다"도 점층법이고, "순하디 순한 것들도/ 버려지는 순간 독기를 품는 법"도 점층법이다. "버림당한 풀뿌리를 보아라/ 암팡지게 흙을 붙잡고/ 몸을 세우는 저 뜨거움을/ 버림받는다고 절망할 일은 아니다"도 점층법이고, "한번쯤 속 시원히 물어뜯을 일이다/ 빳빳하게 날 세운 혈기로/ 씩씩하게 일어나 세상을 걸을 일이다"도 점층법이고, "내가 버린 저 하수마저도/ 반짝반짝 일어나/ 죽을 각오로 강을 헤엄쳐간다/ 독기어린 눈으로 새 숨길을 찾아 나선다"도 점층법이다. 점층법이란 어떤 사건이나 현상에 대하여, 마치 하나 하나의 계단을 밟아올라가거나 내려가는 것처럼 그 과정을 강조하는 수사법 중의 하나이며, 유계자 시인은 이 점층법을 통하여 버림받은 사실을 '독기의 미학'으로 극복해나가고 있다고 해도 과언이 아니다.

독은 독약이며, 칼이고, 그 모든 살생도구이다. 독을 품었다는 것은 생존의 위기에 몰렸다는 것이며, 이 생존의 위기를 벗어나기 위해서는 타인을 죽일 수밖에 없다는 것이다. 내가 죽지 않으면 네가 죽고, 네가 죽지 않으면 내가 죽는다. 우리는 누구나 다같이 독을 품고 있다. 이 독, 이 살기는 공격수단일 수도 있고, 방어수단일 수도 있다. 생존의 위기에 몰린 자는 타인의 목을 비틀려고 하고, 타인의 공격을 받은 자는 자기 자신의 목숨을 지키기 위하여 그 공격자의 목을 비틀지 않으면 안 된다. 독의 사회학은 생존경쟁의 사회학이며, 어느 하나가 죽어야만 끝장이 나는 사회학이다. "사느냐 죽느냐/ 이것이 문제로다."

우리는 무언가 수없이 버리고
버려지고 버림당했다.
내가 버린 저 하수마저도
반짝반짝 일어나
죽을 각오로 강을 헤엄쳐간다
독기어린 눈으로 새 숨길을 찾아 나선다.

그렇다. 버리는 자가 버림을 당한 자이고, 버림을 당한 자가 버리는 자이다. 이 공격과 방어의 불꽃 튀는 싸움이 이 세상의 삶이고, 따라서 "버려지는 순간 독기를 품는 법"이 모든 생명체의 가장 중요하고 근본적인 삶의 태도이기도 한 것이다. 산다는 것은 독기를 품는 것이고, 독기를 품는다는 것은 자기 자신의 운명의 결정권자가 된다는 것이다. 자기 자신의 운명의 결정권자가 된다는 것은 "죽을 각오로 강을 헤엄쳐" 나가 그의 행복을 완성하겠다는 것이다.

독의 사회학은 독기의 미학이 된다. 왜냐하면 버림을 받는다는 것은 독을 품게 되는 것이고, 독을 품게 되는 것은 우리 인간들의 근본적인 삶의 태도이기 때문이다. 독은 공격이며, 방어이고, 독은 생존경쟁이며, 미학이다.

인생은 예술이고, 모든 예술은 독기의 미학에 지나지 않는다.

나는 오늘도 독을 품고, 이 독의 힘으로 나의 행복을 연주해나간다.

"버림받는다고 절망할 일은 아니다." "한번쯤 속 시원히 물어뜯을 일이다."

유계자 시인의 '독기의 미학'은 가장 장중하고 울림

이 큰 잔 다르크적 삶의 의지이며, 가장 아름답고 찬란한 삶의 찬가라고 하지 않을 수가 없다.

이 세상에서 한국인으로 태어난다는 것은 슬픈 일이다. 나도 모르게 이 슬픈 일을 당하고도 독기가 없다는 것은 더욱더 슬픈 일이다. "순하디 순한 것들도/ 버려지는 순간 독기를 품는 법/ 버림당한 풀뿌리를 보아라/ 암팡지게 흙을 붙잡고/ 몸을 세우는 저 뜨거움을/ 버림받는다고 절망할 일은 아니다."

나영순

함께라면

외롭지 않을 거야
빗길 속에서도
네 손을 놓지 않을 거야
우리에게 세찬 바람이어도

언덕길을 내려오면서
네 눈을 보았어
내가 가득했지
내 마음에 너를 들였던 것처럼
이젠 멈출 수 없는 거야

함께라면
네 눈과
내 마음에서
우리는

하나일 거야

더 이상 갈 수 없는 데까지
우리는
함께일 거야

— 나영순 시집, 『꽃을 만진 뒤부터』에서

자유는 다만 환상일 뿐, 인간은 본래 쇠사슬에 묶여
태어났고, 사회적 동물로서의 윤리적 쇠사슬은 그를
꼼짝달싹도 하지 못하게 한다. 혼자는 외롭고, 외로우
면 그는 어떤 문제도 해결할 수가 없다. 이 외로움과 이
무능함은 사회적 동물로서의 치명적인 한계이며, 따라
서 우리는 무리를 짓는 사랑의 관계를 맺지 않으면 안
되었던 것이다. 나는 너무나도 약하고 보잘 것이 없지
만, 우리는 너무나도 강하고 그 모든 것을 다 해낼 수
가 있다. 뭉치면 살고 흩어지면 죽는다. 요컨대 우리
인간들은 단독자의 삶이 아닌 사회성을 선고받은 것이
고, 이 사회성을 위하여 이타적인 동물이 되지 않으면
안 되었던 것이다. 가정, 학교, 직장, 정당, 노동조합
등은 상호원조에의 의지에 의해서 꽃 피어난 것이며,
너와 내가 '우리'로서 '한 마음─ 한뜻'이 되지 않으면 이
공동체 사회는 유지될 수가 없는 것이다.

나영순 시인의 「함께라면」은 너와 내가 '우리'로서 하나가 되는 기적의 세계이며, 이 세상의 삶의 찬가라고 하지 않을 수가 없다. "외롭지 않을 거야", "함께라면/ 네 눈과/ 내 마음에서/ 우리는/ 하나일 거야"라는 시구가 그것을 말해주고, 또한, "언덕길을 내려오면서/ 네 눈을 보았어/ 내가 가득했지/ 내 마음에 너를 들였던 것처럼/이젠 멈출 수 없는 거야", "더 이상 갈 수 없는 데까지/ 우리는/ 함께일 거야"라는 시구가 그것을 말해준다.

이 세상에서 '함께라면' 그 어떤 것도 무섭거나 두려울 것도 없다. 일본도, 미국도 두렵지가 않고, 중국도, 러시아도 두렵지가 않다. '함께라면' 그 어떤 사막이나 황무지에서도 행복하지 않을 수가 없다. '함께라면'은 나를 버리고 '우리'가 될 수 있는 최고급의 이념이며, 그 물질적 토대는 '윤리학'이라고 하지 않을 수가 없다. 도덕, 윤리, 법률, 질서, 제도, 전통, 관습은 상호간의 계약이며, 이 계약이 파괴되면 그 어떤 사회도 그 정당성을 확보할 수가 없게 된다.

사막을 오아시스로 만든 것도 우리의 힘이고, 황무지를 개간하여 황금열매를 맺게 한 것도 우리의 힘이고, 하늘을 찌를 듯한 환희에의 기쁨을 연출해낸 것도 우리의 힘이다. 요컨대 인간은 '우리'로서 존재하고, 이 우리의 힘만 있다면, 더 이상 갈 수 없는 데까지도 갈 수가 있는 것이다.

나영순 시인의 「함께라면」은 순수한 한글과 가장 기본적인 단어들로 되어 있으며, 어느 누구도 쉽게 읽고 그 뜻을 이해할 수가 있게 되어 있다. 하루바삐 나영순 시인의 「함께라면」이 전 국민의 애송시愛誦詩가 되고, 이 시의 이념에 따라서, 세계에서 가장 깨끗하고, 가장 훌륭한 대한민국이 되었으면 하는 생각뿐이다.

대한제국은 넓고, 아름답고, 풍요롭다.

함께라면 외롭지 않고, 함께라면 힘들지 않고, 함께라면 전 인류의 영원한 조국인 대한제국을 건설할 수도 있다.

대한민국은 주인없는 땅과도 같은 국가였다.

우리 한국인들은 가건물을 짓고 살며, 중국과 미국과 일본과 러시아 등, 새로운 주인이 나타날 때마다 이리저리 떠돌아다니는 노예민족에 불과했다.

뇌물로 밥 먹고, 뇌물로 숨 쉬며, 앞으로 오천 년이

더 지나도 이 노예사슬에서 헤어날 길이 없다.

　아아, 아아!

　「함께라면」이여!!

나태주

산수유

아프지만 다시 봄

그래도 시작하는 거야
다시 먼 길 떠나보는 거야

어떠한 경우에도 나는
네 편이란다.

— 나태주 시집, 『틀렸다』에서

나태주 시인의 장점 중의 하나는 어떤 사건과 현상들의 본질을 꿰뚫어보고, 그것을 가장 짧고 간결하게 표현하고 있다는 점일 것이다. 소크라테스의 '너 자신을 알라', 헤라클레이토스의 '투쟁은 만물의 아버지이다', 프로타고라스의 '인간이 만물의 척도이다', 데카르트의 '나는 생각한다, 고로 존재한다', 니체의 '신은 죽었다', 반경환의 '세계는 범죄의 표상이다', 마르크스의 '모든 역사는 계급투쟁의 역사다'라는 말들처럼, 모든 시인과 사상가들은 그들의 일생내내 이처럼 잠언과 경구를 쓰기 위하여 단 하나뿐인 목숨을 걸었다고 해도 과언이 아니다.

"아프지만 다시 봄", 이 시구는 오랫동안 자기 자신을 단련한 결과, 수천 년의 역사와 시간을 압축시킬 수 있는 최고급의 인식의 힘이 내재되어 있는 것이다. 봄은 사나운 눈보라와 그토록 혹독한 추위를 견뎌온 봄이며, 이 봄을 맞이한 산수유는 그 인고의 세월과도 같은 상처를 갖고 있을 것이다. 폭설에 가지가 꺾이고, 살을 에는 듯한 추위에 동상을 입었을 산수유는 다만, 산수유가 아니라 우리 인간들의 모습과도 똑같다.

하지만, 그러나 "아프지만 다시 봄"은 만물이 소생하는 부활의 신호탄이며, 언제, 어느 때나 백발백중의 명사수와도 같은 언어의 힘을 갖고 있다. 니체의 말대로, 한 시대와 한 문화 전체가 압축되어 있는 말이며, 그 아픔을 더욱더 끌어안는 노시인의 선각자적인 예지가 번뜩이고 있다고 할 수가 있다. 아픔은 삶의 질서이며, 모든 삶의 성장 동력이다. 아픔은 활이 되고, 희망은 화살이 된다. 아픈 만큼 더 멀리 날아가고, 아픈 만큼 더 정확하게 과녁을 맞출 수가 있다. 아직도 아프고, 그 아픔의 진통에서 헤어나오지를 못하고 있지만, "그래도 시작"하지 않으면 안 되고, 더욱더 "먼 길을 떠나"보지 않으면 안 된다.

"아프지만 다시 봄"은 섬뜩할 만큼의 전율을 불러일으키고, 어느 누구도 감히 이의를 제기할 수 없을 만큼의 무한한 감동을 불러일으킨다. "아프지만 다시 봄// 그래도 시작하는 거야/ 다시 먼 길 떠나보는 거야"는 단 한 순간도 머뭇거릴 수 없는 백절불굴의 채찍이 되고, "어떠한 경우에도 나는/ 네 편이란다"는 무한한 성원과 격려의 말이 된다. 한 손엔 채찍을 들고, 한 손엔 무한한 성원과 격려의 말을 들고, 결사항전決死抗戰의 대승리를 기원하고 있는 것이다.

나태주 시인의 「산수유」는 이 세상의 삶의 찬가이며, 장중하고 울림이 큰 한국정신의 걸작품이라고 해도 과언이 아니다.

너희들 뒤에는 내가 있다!

오직, 전진하고, 또, 전진하라!

문화적 영웅, 즉, 대시인은 태어나는 것이 아니라 이처럼 느닷없이 출현하다.

오오, 홍익인간弘益人間이여!

오오, 나태주 시인이여!!

이아영

숨비소리 3

네잎클로버 찾으려고
평화공원 풀밭을 뒤진다

토끼뿔을 찾으려고
지리산을 오른다

개뿔을 찾으려고
진도로 간다

거북털을 찾으려고 우도에서
무진장無盡藏 물질을 한다

휘이휙 휘이휙

난 전생에 해녀였었나 보다

— 이아영 시집, 『꽃요일의 죽비』에서

『탈무드』는 유태인들의 오천 년의 지혜가 축적된 경전이며, 유태인들은 이 오천 년의 지혜를 통해서 그들의 민심民心과 국력國力을 결집시키고, 오늘날 이 세계를 지배하고 있다고 할 수가 있다.

랍비 아키바가 여행을 하고 있었다. 그는 당나귀와 개와 작은 램프를 갖고 있었다.

어둠의 장막이 내리기 시작하자 아키바는 헛간을 발견하고 그곳에서 하룻밤을 보내기로 했다. 그러나 아직 잠자기에는 이른 시간이었으므로 램프를 켜고 책을 읽기 시작했다. 그런데 바람이 불어와 램프가 꺼져 버려 그는 하는 수 없이 잠을 자야만 했다.

그날 밤 여우가 와서 그의 개를 죽여버렸고, 사자가 와서 당나귀를 죽여버렸다. 아침이 되자 그는 램프를 갖고 혼자서 터벅터벅 출발했다.

어떤 마을 근처에 다다랐는데, 사람이라고는 그림자도 보이지 않았다. 그는 전날 밤 도둑이 습격하여 마을을 파괴하고 사람들을 몰살했다는 것을 알게 되었다.

만약 램프가 바람에 꺼지지 않았더라면 개가 짖어대어 도둑에게 들켰을지도 모른다. 당나귀 역시 소란을 피웠을 것이다. 그는 모든 것을 잃은 덕택으로 도둑에게 발견되지 않았던 것이다.

랍비는 "최악의 상태에서도 희망을 잃어서는 안 된다. 나쁜 일이 좋은 일로 연결되는 수도 있다는 것을 믿어야 한다"라는 것을 깨달았다.

— 마빈 토케어 편, 『탈무드』에서

어느 날 사랑하는 개를 잃고, 당나귀를 잃고, 그 모든 것을 다 잃었어도 그것을 행운으로만 생각했던 랍비 아키바, 유태인들의 랍비 중의 랍비였던 아키바—. 이 랍비 아키바의 교훈은 너무나도 선이 굵고 분명하다. 어떠한 고통 속에서도 희망을 잃어서는 안 된다는 것—. 요컨대 희망은 이 세상의 빛이요, 행복이요, 숨구멍이었던 것이다.

숨구멍이 막히면 그 어떤 생명체도 살 수가 없지만,

그래도 '숨비소리'가 있어서 이 세상은 참고 살만한 것이다. 이아영 시인의 「숨비소리 3」은 희망이 전혀 없을 때에도 희망을 찾아나서지 않으면 안 된다는 가장 중요하고 핵심적인 전언을 담고 있다고 할 수가 있다. 평화공원을 다 뒤져도 행운의 네잎크로버는 없고, 넓디 넓은 지리산 골짜기를 다 뒤져도 토끼뿔은 없다. 한국산 명견名犬의 고향인 진도를 다 뒤져도 개뿔은 없고, 우도에서 수천 년 동안이나 물질을 하더라도 거북털은 찾을 수가 없다. 네잎크로버, 토끼뿔, 개뿔, 거북털은 희망이 되고, 그러나 이 희망은 그 어디에도 존재하지 않는다.

희망은 손에 잡힐 듯이 손에 잡히지를 않고, 절망이 희망의 멱살을 잡고 목을 비틀어버린다. 절망에 사로잡혀 절망의 진창 속을 헤매다 보면 어느 덧 희망이 슬그머니 나타나 절망의 멱살을 잡고 절망의 목을 비틀어버린다. 산에 가서 낚시를 하고, 우물가에 가서 숭늉을 찾고, 처녀의 몸으로 상상 속의 임신을 한다. 절망 속에서 희망을 찾는 것은 미치광이짓이 되고, 이 미치광이짓이 아아영 시인의 「숨비소리 3」이 된다. "휘이휙 휘이휙," 우도 해녀의 숨비소리는 희망이 되고, 이 희망은 네잎클로버, 토끼뿔, 개뿔, 거북털로 그 모습을 드러낸다. 요컨대 희망이라는 본질은 없고, 절망이라는 가짜 기호들—네잎클로버, 토끼뿔, 개뿔, 거북털—만이 그 모습을 드러내고 있는 것이다.

시인은 최악의 조건 속에서도 그것을 참고 견디며, '지혜'를 찾아나선 미치광이와도 같다. 오늘도, 내일도, 숨쉬기조차도 힘든 삶뿐이지만, 그러나 끊임없이 '지혜의 바다' 속에서 물질을 하는 것만으로도 행복하다. "휘이휙 휘이휙// 난 전생에 해녀였었나 보다"라는 시구는 '지혜의 바다'속에서 물질을 할 수가 있다는 것만으로도 행복하다는 숨비소리가 된다.

희망의 또다른 이름은 절망이 아니었을까? 아니, 아니, 절망의 진짜 이름은 희망이 아니었을까? 희망이 소중한 것과 마찬가지로 절망도 소중하다. 따지고 보면, 희망만을 편애하고 절망을 배척한 것은 우리 인간들의 최악의 오류 중의 하나에 지나지 않으며, 따라서 절망으로 숨 쉬고 절망으로 밥을 먹는 자만이 진정으로 자기 자신의 행복의 연주자라고 할 수가 있는 것이다. 절망을 사랑하고, 절망을 또 사랑해보라! 내가 가는 모든 길은 황제의 길이 되고, 내가 듣는 모든 새소리는 대은

총의 축하공연이 되고, 모든 나쁜 옷과 나쁜 음식은 황제의 옷과 황제의 음식이 된다.

기적은 없다.

하지만, 그러나 기적이 없다는 것만으로도 '무에서 유'를 창출해낼 수 있는 기적이 이루어진다. 네잎클로버도 있고, 토끼뿔도 있다. 개뿔도 있고, 거북털도 있다.

"휘이휙 휘이휙"―, 기적보다 더 기적다운 「숨비소리 3」은 '절망'이라는 가치를 전환시킨 아름다운 시라고 할 수가 있다.

유태인 랍비인 아키바는 희망으로 숨쉬고, 희망으로 밥 먹는 일종의 지적 편식주의자에 지나지 않았다.

이아영 시인은 절망으로 숨쉬고, 절망으로 밥 먹으며, 절망으로 노래하는 '지혜의 시인'이었다.

독일은 사상가의 민족이다. 칸트, 헤겔, 마르크스, 니체, 쇼펜하우어 등은 전 인류의 스승들이고, 이 전 인류의 스승들이 있는 한 독일의 부정부패는 있을 수가 없다. 독일은 해마다 전 국민이 참여하는 철학축제를 열고 있고 있으며, 이 '사상의 힘'으로 유태인들과 지상최대의 세계대전을 꿈꾸고 있다고 하지 않을 수가 없다.

　대한민국은 '골빈당의 나라'이며, 범죄인 중의 범죄인인 표절학자가 다스리고 있다. 이 표절의 힘으로 세계적인 '부정부패의 잔치쇼'를 벌이고, 최고급의 사대주의事大主義로 유태인들을 받들어 모시고 있다. 그 결과, 민족시조인 단군은 흔적조차도 없고, 이스라엘 왕인 예수가 우리 한국인들의 붉디 붉은 피를 산채로 다 빨아먹고 있는 것이다.

조성범
짝

얼마나 좋으면

꼭 붙어 다닐까

얼마나 좋으면

똑같이 따라 할까

그늘 드리운 날은

불러도 나오지 않는다

— 조성범 시집, 『달그락 쨍그랑』에서

노아의 방주에는 그 모든 것들이 자기 짝을 데리고 왔지만, 선만이 혼자서 왔다고 한다. 노아는 너무나도 단호하게 승선을 거부했고, 그러자 선은 어쩔 수 없이 악을 데리고 왔다고 한다. 이때부터 선과 악은 둘이 아닌 하나가 되었다고 한다. 하지만, 그러나 이 세상은 천지창조 이전부터 '음양의 조화'로 이루져 있다고 할 수가 있다. 양지가 있으면 음지가 있고, 높은 곳이 있으면 낮은 곳이 있다. 부자가 있으면 가난한 자가 있고, 남자가 있으면 여자가 있다.

이 음양의 조화가 있기 때문에, 이 세상은 모든 것이 가능한 세계가 되었다. "얼마나 좋으면/ 꼭 붙어 다닐까// 얼마나 좋으면/ 똑같이 따라 할까// 그늘 드리운 날은/ 불러도 나오지 않는다." 이 세상에서 가장 무섭고 두려운 것은 그림자가 없는 사람, 즉, 재벌들, 유명 인사들, 정치인들이라고 하지 않을 수가 없다. 그들은 상대를 짓밟고 상대를 인정하지 않으며, 이 세상의 모든 사물의 질서와 모든 인간관계를 파괴해버린다. 조성범 시인의 『달그락 쨍그랑』은 그림자가 없는 사람들에 대한 질타이자, 가장 아름답고 뛰어난 '음양의 조화'에 대한 노래라고 할 수가 있다. '음양의 조화'. 짝, 짝, 짝—. 모든 시는 자기 짝을 찾는 노래이며, 우리는 이 노래가 있기 때문에 이 세상을 아름답고 행복하게 살아간다.

박수중

박제剝製

표정이 조금씩 굳어져 가요
울음이 자리잡아도 터지지 않는군요

기억속 그 사람이 점점 희미해져 가요
한가지 생각만 해온 머리가
텅 비워졌어요

그렇게도 잊지 못하여 애태우던
내장은 꺼내 버렸어요

팔을 들어 올리기도 거북해요
먼 환상에도 손짓조차 하기 어렵구요
관절이 겨우 막대기처럼 서 있어요

몸안의 수분이 生의 나이테만큼

빠져 나가는 것 같아요

이제 할 수 있는 건

횃대에 올려져 멍때리기 뿐

저녁 노을을 붙잡을 수는 없잖아요

― 박수중 시집, 『박제剝製』에서

실향민의 아픔과 분단조국의 아픔이 남북통일과 영원한 조국에 대한 그리움이 되고, 이 그리움이 망부석望夫石이 아닌 망향조望鄉鳥가 된다. 내장도 모두 꺼내져 버렸고, 팔을 들어올릴 수도 없다. 관절은 겨우 막대기처럼 서있고, 몸의 수분이 다 빠져나가 이제 횃대에 올려질 일만이 남았다. 박수중 시인의 『박제剝製』는 그리움을 시적 정조로 하는 연시집戀詩集이기는 하지만, '님'을 잃어버린 자의 단말마의 비명이라고 할 수가 있다. 이 절규—이 비명이 「나무늘보」의 시간을 지나 성대와 생식기를 잘린 '애완견'의 시간(「규격론」)을 지나 망향조가 된 것이다.

신도 죽었고, 인간도 죽었다. 구원이 없는 시대에, 그러나 갑자기 이 세상 그 어디에도 없는 가장 크고 가장 아름다운 새가 날아오른다.

아아, 박제가 된 망향조望鄉鳥—. 아아, 노시인의 시

적 성취는 이처럼 처절하고 끔찍하게 아름다운 것이
다.

유준화

물방울

내가 잠시
당신의 속으로 들어갈 수 있고

당신이 잠시
나의 속으로 들어올 수도 있겠군요

당신과 내가
잠깐 동안 하나가 될 수도 있고

당신과 내가
잠깐 동안 남이 될 수도 있다는 말이겠지요

내가 흘리는 한 방울 눈물이
당신의 마음일 수도 있고

당신을 따라가는 내 마음이
금강물이 될 수도 있겠군요

우리 서로 흐름대로 있어도
천 년을 산다는 말이겠지요
― 유준화 시집,『네가 웃으면 나도 웃는다』에서

유준화 시인은 물, 불, 바람, 흙의 4원소 중, 이 세상의 근본물질이 '물'이라고 믿는 수성론자水性論者라고 할 수가 있다. 우리는 물 속에서 태어나 물 속에서 사랑을 나누고, 우리는 물 속에서 죽어가며, 이 물 속에서 또 다른 생명체로 태어난다. 당신과 내가 잠깐 동안 하나가 될 수 있듯이, 당신과 나는 잠깐 동안 남이 될 수도 있다. 내가 흘린 눈물 한 방울이 당신의 마음일 수도 있고, 당신을 따라가는 내 마음이 금강물일 수도 있다. "우리 서로 흐름대로 있어도/ 천 년을 산다는 말이겠지요"(「물방울」)라는 시구는 '물의 시인'의 결정체라고 할 수가 있다. 천 년, 만 년, 영원히 변하지 않는 물방울, 이 물방울같이 아름다운 것들이 유준화 시인의 시들이라고 할 수가 있다. 아름다운 것은 법열法悅의 극치이며, 아름다운 것은 영원한 것이다. 유준화 시인-물방울- 아름다움 !!

남상진 홍산희

이성복 황지우

이 명 금기웅

정용기 이금주

이화은 김환식

안원찬 곽성숙

남상진
죽방렴멸치

때로는 구부러진 그의 등에다
시위를 걸고 싶을 때가 있다
도시의 한복판에서
눈동자는 표적을 잃은 지 오래
골목은 출구도 없는 방안을 따라 이어졌다
누구처럼 막막한 놈들과 마주쳤을 때
한 번쯤 발사할 수 있는
먹물 한 줌 담아내지 못한 학벌
출구를 봉쇄당했을 때
무딘 주둥이를 얼마나 들이박았을까
붉게 물든 주둥이가 무색하게
몸뚱이는 이미 통발 속으로 들어서고 있다
달빛과 등대가 높은 곳에서
밤마다 눈빛을 주고받을 때에도
현수막을 흔들고 스크럼으로 맞섰을 뿐

올곧았던 대나무가

통발의 앞잡이가 될 줄 몰랐다

파도가 석화처럼 날을 세우고

통발에 웅크린 별들이

반짝 비늘로 스러지던 보름 밤

생의 마침표를 찍고 싶었을까

정리해고 통지를 받은 김씨가

한 평 방 안에서 벽을 향해 누운 등에다 시위를 걸
고 있다

　── 남상진, 『현관문은 블랙홀이다』에서

지난 18세기에는 모든 사람들이 국가권력의 개입은 자본주의 발전을 약화시킨다는 생각에 동의를 했고, 따라서 작은 국가와 작은 정부를 실천해왔다. 하지만, 그러나 외적의 침입과 내부의 치안만을 담당해왔던 정부는 곧 새로운 문제에 봉착해왔는데, 그것은 빈부의 격차와 계급갈등의 문제라고 할 수가 있다. 따라서, 작은 국가와 작은 정부를 지향했던 경찰국가를 포기하고, 복지국가, 즉, 거대국가와 거대정부를 지향할 수밖에 없었다. 이제 국가가 부의 재분배를 통하여 모든 국민들의 경제활동과 문화활동을 보장해주지 않으면 안 되었던 것이다. 요컨대 부의 대물림을 뿌리뽑고 완전고용정책을 실시하는 것과 함께, '요람에서 무덤까지'라는 '비버러지의 정책'을 실시하게 되었던 것이다.

오늘날 대한민국의 경제정책을 살펴보면 경찰국가의 그것도 아니고, 복지국가의 그것도 아니다. 정부가

국민의 경제활동에 적극 개입한다는 점에서는 복지국가의 정책을 펼치고 있는 것도 같지만, 그러나 대한민국의 경제정책은 정경유착에 의한 친재벌정책에 지나지 않는다. 현대 복지국가는 재벌들의 부의 대물림을 원천봉쇄하고 있는데, 왜냐하면 부의 대물림은 신분의 이동과 부의 순환을 막는 동맥경화증에 지나지 않기 때문이다. 상속세와 증여세를 50% 내지 60%를 물리는 법적 장치는 이 동맥경화증을 방지하기 위한 것이지만, 그러나 대한민국의 정부는 이러한 법적 장치를 완비하고 있으면서도 내부거래와 일감 몰아주기, 전환사채의 발행과 계열사간의 인수합병, 그리고, 고객예탁금과 국민연금을 통한 경영권 방어와 그 불법상속을 지원해줌으로써 오히려, 거꾸로 '부의 대물림'을 완성해주었던 것이다.

도대체 어느 정부에서 고객예탁금과 국민연금으로 특정기업의 경영권 방어와 부의 대물림을 완성해주는 나라가 있으며, 도대체 어느 정부에서 수많은 벤처기업들을 다 죽여가며 소수의 재벌들의 문어발식 확장을 도와준 예가 있단 말인가? 대한민국은 사기꾼들의 국가이며, 이 사기꾼들에 의한 천민자본주의의 국가에 지나지 않는다. 삼성그룹, 현대그룹, SK그룹, LG그룹, 롯데그룹의 총수들을 하루바삐 구속하여 200년 징역형으로 다스리고, 그 그룹들의 운명을 자유시장경제에 맡기지 않으면 안 된다.

오늘날의 우리 재벌들은 따지고 보면 대한민국의 국민도 아니고, 소수의 치외법권지역의 외국인에 지나지 않는다. 대부분의 자녀들은 조기유학을 보내고, 그들의 식당이나 그들만의 모임도 상류사회의 맴버십 카드를 지닌 자들만이 드나들 수 있으며, 전 국민의 정서와 전 국민과 함께 하는 재벌들은 거의 찾아 볼 수가 없다. 대한민국의 재벌들의 부의 대물림은 정경유착에 의한 특혜이며, 이 대동맥경화증을 발본색원하지 않는 한, 대한민국의 미래는 없게 될 것이다.

남상진 시인의 「죽방렴멸치」는 최악의 생존위기에 몰린 해고노동자의 절규이며, 이 해고노동자를 죽방렴멸치의 그것으로 치환시킨 대단히 아름답고 탁월한 시라고 하지 않을 수가 없다. 시적 화자인 김씨는 정리해고 통지를 받았고, 그는 죽방렴멸치처럼 등이 굽었다. 김씨는 그의 등에다가 시위를 걸고 싶었지만, 그러나 그는 "먹물 한 줌 담아내지 못한 학벌" 때문에 그럴 수가 없었다. 이때에 등이 굽었다는 것은 한 평생 몸과 마음을 다 바쳤다는 것을 말하고, "때로는 구부러진 그의 등에다"가 시위를 걸고 싶었다는 것은 자기 자신을 일회용 소모품처럼 취급하는 악덕 사주에게 그 분풀이를 하고 싶었다는 것을 말한다. 자유로운 삶의 터전을 잃고 죽방렴에 갇힌 멸치가 그 "무딘 주둥이"로 수없이 통발의 벽을 들이받아 보았지만, 그러나 그 어떠한 효과도 거둘 수가 없었던 것이다. 달빛은 정치권력이 되고, 등대는 사법권력이 된다. "달빛과 등대가 높은 곳에서/ 밤마다 눈빛을 주고받을 때"라는 시구는 정경유착을 암시하고, "현수막을 흔들고 스크럼으로 맞섰을 뿐"이라는 시구는 정리해고에 맞선 노동자들의 시위를 암시한다.

하지만, 그러나 "올곧았던 대나무가/ 통발의 앞잡이가 될 줄을 몰랐다"라는 시구는 노동자를 대표하는 노조의 간부가 오히려, 거꾸로 통발, 즉, 악덕 사주의 앞잡이가 되었다는 것을 뜻한다. "올곧았던 대나무가/ 통발의 앞잡이가 될 줄 몰랐다." 이때의 "올곧았던 대나무"는 노조의 간부를 뜻하고, 또한, 이때의 "통발"은 정리해고를 단행한 악덕 사주를 뜻한다.

"통발에 웅크린 별", "반짝 비늘로 스러지던 보름 밤/ 생의 마침표를 찍고" 싶은 별, 아아, 최악의 생존의 위기에 몰려 있는 이 죽방렴멸치의 고독과 절망을 그 어느 누가 알 수가 있단 말인가? 아아, 최후의 시간이며, 정경유착에 의한 억압의 장소는 그 어떠한 구원의 손길마저도 닿을 수가 없는 지옥의 그것과도 똑같다고 하지 않을 수가 없다.

일터처럼 소중하고, 일터처럼 인간을 비굴하게 만드는 것도 없다. 일터에는 좌우의 이념도 없고, 일터는 삶과 죽음을 초월한다. 일터를 잃었거나 일터를 빼앗아간다면, 그는 최후의 발악을 하는 미치광이가 되고, 비록, 그것을 실천할 수는 없지만, 피눈물을 쏟으면서까지도 상대방의 목을 비틀고 무서운 잔혹극을 다 연출해내고 싶어한다. 한이 맺히면 등이 굽고, 그 무서운 복수의 염원 때문에, 최후의 발악과도 같은 화살을 쏘아대는 자세를 취하게 된다.

"통발에 웅크린 별", "생의 마침표를" 찍은 별—. 남상진 시인의 「죽방렴멸치」는 대단히 상징적이고 함축적인 시이며, 서사적인 구조에다가 극적인 효과까지 가미한 최고의 명시라고 하지 않을 수가 없다.

일제식민 잔재 중 가장 사악하고 가장 악랄한 것은 주입식 암기교육이라고 할 수가 있다. 주입식 암기교육은 세계적인 천재의 생산은커녕, 우리 아이들을 모조리 수장水葬시키는 암적인 종양에 지나지 않는다.

나는 나의 목숨, 명예 등, 그 모든 것을 다 걸고 말한다.

"주입식 암기교육을 독서중심의 글쓰기 교육으로 바꾸지 않는 한 대한민국의 미래는 없다"라고—.

아아, 죽방렴멸치의 운명에 지나지 않는 우리 한국인들의 운명이여!

홍산희
정글 숲을 헤쳐 나가자
엉금엉금 기어서가자

산남동에는 법원이 있고 검찰청도 있다
학교도 있고 유치원도 있다
산남유치원 아이들이 줄서서
노래 부르며 손잡고 걸어간다

—— 정글 숲을 헤쳐 나가자
　　엉금엉금 기어서 가자

변호사들이 모인 엔젤빌딩 맞은편 인도에
어린 누를 덥석 물듯
노란색 길* 한 입씩 콱 물고 있는 상가들
아이들 노래 소리 이어진다

—— 늪지대가 나타나면은
　　악어 떼가 나올라 악어 떼

* 시각장애인들을 위한 유도블록.

— 홍산희 시집, 『야난의 저녁 식탁』에서

홍산희 시인의 「정글 숲을 헤쳐 나가자/ 엉금엉금 기어서가자」는 어린이의 입장에서 어른을 야유하는 동시이며, 현대문명사회가 다름 아닌 정글 숲에 지나지 않는다는 것을 가장 극단적으로 폭로하고 있는 시라고 할 수가 있다. 어린이는 순수하고 때묻지 않았지만, 어른은 더없이 추악하고 타락한 존재에 지나지 않는다. "산남동에는 법원이 있고 검찰청도 있다/ 학교도 있고 유치원도 있다/ 산남유치원 아이들이 줄서서/ 노래 부르며 손잡고 걸어간다."

　　하지만, 그러나 사법정의의 상징인 법원과 검찰청은 사회적 약자를 잡아먹는 악어가 되고, 미래의 꿈나무를 양성하는 학교와 유치원은 약육강식을 가르치는 지배계급의 양성소가 된다. 가진 자는 언제, 어느 때나 정의롭고, 가난한 자는 언제, 어느 때나 정의롭지 못하다. 사회적 정의는 지배계급의 이익을 옹호하고 그 권력의 정당성을 행사하기 위한 이데올로기의 장치에 지나지 않으며, 만일, 이 사회적 정의가 가난한 자, 힘 없는 자, 지배를 당하는 자를 위해 작용을 하게 된다면, 그 어떠한 권력기구도 존재할 수가 없게 될 것이다.

홍산희 시인의 「정글 숲을 헤쳐 나가자/ 엉금엉금 기어서가자」는 이 지배이데올로기의 허위성을 가장 날카롭고 예리하게 꿰뚫어보고, 사회 자체가 악어에 의한, 악어를 위한 정글 숲에 지나지 않는다고 폭로를 하고 있는 것이다. 엔젤빌딩, 즉, 천사빌딩에 몰려있는 변호사들마저도 악어에 지나지 않으며, "노란색 길을 한 입씩 콱 물고 있는 상가들"마저도 악어들의 은신처에 지나지 않는다.

사회 자체가 거대한 정글 숲이고, 늪지대에는 수많은 악어들이 어린 누떼들을 잡아먹기 위해서 우글거리고 있다. 어린 누떼들은 "엉금엉금 기어서" 가지 않으면 안 되고, 늘, 항상, 조심하고, 또 조심하지 않으면 안 된다.

홍산희 시인의 「정글 숲을 헤쳐 나가자/ 엉금엉금 기어서가자」라는 동시는 어른들의 서정시를 전복시키는 풍자시가 되고, 이 풍자시는 소위 어른들, 즉, 권력자들의 목을 베는 칼날이 된다.

　소위 어른들, 당신들은 천사가 아닌 영원한 악마들일 뿐이야!

　미군은 악어가 되고, 우리 한국인들은 누떼가 된다.

　미군의 주둔이 의미하는 것은 영원한 주권의 상실이며, 미국의 이익을 위해서라면 언제, 어느 때나 '동족상잔의 비극'을 아주 극단적으로 연출해주지 않으면 안 된다.

　오오, 미군을 하나님처럼 받들어 모시는, 살아 있다는 것 자체가 전인류의 치욕이 되는 이 바보, 이 멍청이들아!!

　하나님도 차마 외면하고 싶은 참으로 어리석고 불쌍한 민족들이다.

　선진국은 도덕으로 집을 짓고, 후진국은 부패로 집을 짓는다. 적은 법률과 적은 규제는 선진국의 징표가 되고, 많은 법률과 많은 규제는 후진국의 징표가 된다.

이성복
그날

그날 아버지는 일곱시 기차를 타고 금촌으로 떠났고
여동생은 아홉시에 학교로 갔다 그날 어머니의 낡은
다리는 퉁퉁 부어올랐고 나는 신문사로 가서 하루
종일
노닥거렸다 전방은 무사했고 세상은 완벽했다 없는
것이
없었다 그날 역전에는 대낮부터 창녀들이 서성거렸고
몇 년 후에 창녀가 될 애들은 집일을 도우거나 어린
동생을 돌보았다 그날 아버지는 미수금의 회수 관
계로
사장과 다투었고 여동생은 애인과 함께 음악회에 갔다
그날 퇴근길에 나는 부츠 신은 멋진 여자를 보았고
사람이 사람을 사랑하면 죽일 수도 있을 거라고 생
각했다
그날 태연한 나무들 위로 날아 오르는 것은 다 새가

아니었다 나는 보았다 잔디밭 잡초 뽑는 여인들이 자기

　삶까지 솎아내는 것을, 집 허무는 사내들이 자기 하늘까지

　무너뜨리는 것을 나는 보았다 새점 치는 노인과 변통의

　다정함을 그날 몇 건의 교통사고로 몇 사람이

　죽었고 그날 시내 술집과 여관은 여전히 붐볐지만

　아무도 그날의 신음 소리를 듣지 못했다

　모두 병들었는데 아무도 아프지 않았다

　── 이성복 시집, 『뒹구는 돌은 언제 잠 깨는가』에서

1980년대 '시의 시대'를 이끌었던 선구자는 이성복 시인이었고, 이성복 시인은 한국문학사에서 새로운 신기원을 창출해낸 바가 있었다. 첫 번째는 가장 정교하고 세련된 언어였고, 두 번째는 한국사회에 대한 역사 철학적인 인식이었고, 그리고 마지막으로 세 번째는 자유자재롭고 거침없는 '저격수의 문체'로 모든 독자들의 혼을 빼앗아버리는 흡인력이라고 할 수가 있다. "사람이 사람을 사랑하면 죽일 수도 있을 거라고 생각했다." "그날 태연한 나무들 위로 날아 오르는 것은 다 새가/ 아니었다." "나는 보았다 잔디밭 잡초 뽑는 여인들이 자기/ 삶까지 솎아내는 것을, 집 허무는 사내들이 자기 하늘까지/ 무너뜨리는 것을 나는 보았다." "새점 치는 노인과 변통의/ 다정함을 그날 몇 건의 교통사고로 몇 사람이/ 죽었고 그날 시내 술집과 여관은 여전히 붐볐지만/ 아무도 그날의 신음 소리를 듣지 못했다."

"모두들 병들었는데 아무도 아프지 않았다"라는 시구들은 가장 정교하고 세련된 언어의 예에 해당되고, 아버지와 여동생과 어머니와 시적 화자인 '나'와 역전의 창녀들과 부츠를 신은 멋진 여자와 잔디밭 잡초를 뽑는 여인들과 집 허무는 사내들과 새점 치는 노인 등의 사소한 일상생활들을 성찰한 끝에, "사람이 사람을 사랑하면 죽일 수도 있을 거라고 생각했다," "모두들 병들었는데 아무도 아프지 않았다"라는 잠언과 경구들은 한국사회에 대한 역사 철학적인 인식의 예에 해당된다. 잠언과 경구는 가장 정교하고 세련된 언어이며, 모든 시인들과 모든 사상가들의 출세의 보증수표이자 영광의 월계관이라고 할 수가 있다. 잠언과 경구에는 수천 년의 역사와 전통이 담겨있고, 잠언과 경구에는 그 주체자의 역사 철학이 담겨 있으며, 잠언과 경구에는 그 잠언과 경구만큼이나 아름답고 멋진 신세계가 들어 있다.

이성복 시인은 왜, "사람이 사람을 사랑하면 죽일 수도 있을 거라고 생각"했던 것일까? 이성복 시인은 또한 왜, "모두들 병들었는데 아무도 아프지 않았다"라고 단정하게 되었던 것일까? 동정심에서 타민족을 살해한다는 말도 있지만, 이성복 시인의 이 '사랑의 살기殺

氣'는「그날」의 시적 화자들, 즉, 우리 한국인들 전체의 삶이 식민시대와 군사독재치하의 비극적인 삶에 지나지 않으며, 더 이상의 그 어떠한 구원의 손길도 미칠 수가 없었다는 것을 뜻한다. "그날 아버지는 일곱시 기차를 타고 금촌으로 떠났고/ 여동생은 아홉시에 학교로 갔다 그날 어머니의 낡은/ 다리는 퉁퉁 부어올랐고 나는 신문사로 가서 하루 종일/ 노닥거렸다 전방은 무사했고 세상은 완벽했다 없는 것이/ 없었다."

하지만, 그러나,

　　사람이 사람을 사랑하면 죽일 수도 있을 거라고 생각했다

　　그날 태연한 나무들 위로 날아 오르는 것은 다 새가

　아니었다 나는 보았다 잔디밭 잡초 뽑는 여인들이 자기

　삶까지 솎아내는 것을, 집 허무는 사내들이 자기 하늘까지

무너뜨리는 것을 나는 보았다 새점 치는 노인과 변통의

　다정함을 그날 몇 건의 교통사고로 몇 사람이

　죽었고 그날 시내 술집과 여관은 여전히 붐볐지만

　아무도 그날의 신음 소리를 듣지 못했다

모두 병들었는데 아무도 아프지 않았다

라는, 대반전의 시구들은 무사한 세상이 병든 세상이
고, 너무나도 완벽한 허위와 너무나도 완벽한 범죄의
세상에 지나지 않는다는 것을 시사해주고 있다고 하지
않을 수가 없다. 도대체 자기 자신의 삶까지도 솎아내
는 잔디밭 잡초 뽑는 여인들에게 무슨 희망이 있으며,
도대체 자기 자신의 하늘까지도 무너뜨리는 집 허무는
사내들(철거용역 깡패들)에게 무슨 희망이 있단 말인
가? 도대체 공중화장실 앞에서 새점 치는 노인에게 무
슨 희망이 있으며, 도대체 역전 앞의 창녀들에게 무슨
희망이 있단 말인가? 일곱시 기차를 타고 금촌으로 떠
난 아버지에게도 희망은 없고, 아홉시에 학교로 간 여
동생에게도 희망은 없다. 낡은 다리가 퉁퉁 부어오른
어머니에게도 희망은 없고, 신문사를 다니는 나에게
도 희망은 없다.

　일제 식민치하도 인간의 삶을 식물화시키고, 군사
독재정권치하도 인간의 삶을 식물화시킨다. 식물화시
킨다는 것은 인간에게 인간성을 거세하고, 그리고 그
의 사고능력과 행동까지도 무력화시킨다는 것을 뜻한

다. 대일본제국의 731부대의 생체실험의 대상이었던 우리 한국인들, 도대체 이 통나무, 이 '마루타'와도 같았던 우리 한국인들에게 그 무슨 희망이 있단 말인가? 이성복 시인의 '사랑의 살기'는 그의 조국과 민족에 대한 사랑의 소산이며, 더 이상의 고통을 덜어준다는 점에서 너무나도 인간적인 '존엄사'에 대한 처방일 수도 있었던 것이다. 잔디밭 잡초 뽑는 여인들이 자기 자신의 삶까지도 솎아내고 있었고, 집 허무는 사내들(철거 용역의 깡패들)이 자기 자신의 하늘까지도 무너뜨리고 있었다. 나무들 위로 날아오른다고 다 새가 아니었고, 살아 있다고 다 살아 있는 것이 아니었다. 그날이 그날이었고, 모두들 병들었는데 아무도 아프지 않았다.

문체를 보면 그가 제일급인지, 아닌 지를 단번에 알 수가 있는데, 왜냐하면 문체는 그의 개성과 독창성의 표지이기 때문이다. 이성복 시인의 자유자재롭고 거침없는 문체는 그의 시를 읽는 독자들의 혼을 빼앗아버리고 있는데, 그것은 그의 마침표를 생략한 속도감 있는 문체 때문이었다. 때로는 가볍고, 때로는 경쾌하지만, 아무튼 이성복 시인의 문체는 대한민국 최초의 '저격수의 문체'이고, 그의 군더더기 하나도 없는 '백발백

중의 저격솜씨'는 모든 독자들로 하여금 숨소리조차도 멈추게 한다.

이성복 시인의 문체는 날개달린 호랑이와도 같고, 천둥 번개와도 같다. 그만큼 빠르고, 그만큼 충격적이며, 그만큼 더욱더 많은 생각과 오랜 사색에 잠기도록 만들었던 것이다.

1980년대에는 이성복 시인이 있었다는 것만으로도 대단히 행복했던 시대라고 할 수가 있었다.

문대통령에게 물어보라! 표절, 부동산투기, 위장전입, 병역기피, 탈세자를 우대하면 어떻게 되는가를……

전국의 모범시민이여, 총궐기 하라!

아뿔사 모범시민의 씨가 모조리 말랐구나!

전국의 어린이들이여, 모두가 다같이 해외로 망명 가라!

나는 학문에 있어서는 지혜를, 일에 있어서는 정의를, 우정에 있어서는 믿음을, 사랑에 있어서는 욕망을 좋아한다.

황지우

새들도 세상을 뜨는구나

영화映畵가 시작하기 전에 우리는
일제히 일어나 애국가를 경청한다
삼천리 화려 강산의
을숙도에서 일정한 군群을 이루며
갈대 숲을 이룩하는 흰 새떼들이
자기들끼리 끼룩거리면서
자기들끼리 낄낄대면서
일렬 이렬 삼렬 횡대로 자기들의 세상을
이 세상에서 떼어 메고
이 세상 밖 어디론가 날아간다
우리도 우리들끼리
낄낄대면서
깔쭉대면서
우리의 대열을 이루며
한 세상 떼어 메고

이 세상 밖 어디론가 날아갔으면

하는데 대한 사람 대한으로

길이 보전하세로

각각 자기 자리에 앉는다

주저 앉는다

— 황지우 시집, 『새들도 세상을 뜨는구나』에서

국가를 형성하지 못한 민족은 그 어떠한 역사가도 주목하지를 않는다는 말이 있다. 국가와 민족은 둘이 아닌 하나이지만, 때로는 국가가 민족보다도 우선할 수가 있다. 국가가 있고 민족이 있는 것이지, 민족이 있고 국가가 있는 것이 아니다. 만일 국가가 없다면, 어떤 민족도, 개인도 전혀 힘을 쓸 수가 없으며, 그 민족이나 개인은 이미 사망선고를 받은 자에 지나지 않는다. 소크라테스가 '악법도 법이다'라고 외치며 한 사발의 독배를 마시고 죽어간 까닭이 여기에 있으며, 알렉산더 대왕이 영원한 제국을 꿈꾸며 죽어간 까닭이 여기에 있는 것이다.

국가는 부모형제보다도 더 소중하고, 국가는 처 자식이나 친구보다도 더 소중하다. 나의 생명과 재산보다도 더 소중하고, 자유와 평등과 사랑보다도 더 소중하다. 왜냐하면 이 세상에는 국가보다 더 소중한 공동체 사회가 없기 때문이다. 세금을 내라고 하면 세금을 내야 하고, 공부를 하라고 하면 공부를 해야 한다. 전쟁터로 가라고 하면 전쟁터로 가야 하고, 형무소로 가라고 하면 형무소로 가야 한다. 따라서 장 자크 루소의 '사회계약론'은 철부지 어린 아이의 잠꼬대와도 같은 말에 지나지 않는데, 왜냐하면 애시당초 국가와 개인간의 계약같은 것은 존재할 수가 없기 때문이다. 사회계약은 상호간의 합의나 분쟁에 의해서 파기될 수가 있지만, 국가와 국민간의 관계는 아주 특별한 예외의 경우는 제외하고 그 관계를 파괴할 수가 없기 때문이다. 국가는 명령하고, 국민은 복종한다. 국가와 국민은 부모와 자식간의 관계와도 같으며, 따라서 그의 조국이 패망을 하거나 그가 외국시민권을 획득하지 않는한, 이 주종의 관계는 파기될 수가 없다.

자유도 없고, 평화도 없다. 사랑도 없고, 삶의 터전도 없다. 이 떠돌이― 나그네의 참 모습이 유랑민족의 본질적인 국면이며, 이 유랑민족의 신세는 상갓집 개만도 못한 신세에 지나지 않는다. 국가가 있고, 민족(국민)이 있다. 민족이 있고, 개인이 있다. 이 서열관계는 사회적 동물들의 자연의 법칙과도 같으며, 이 관계 속에서만이 그는 그의 자유와 평화와 행복과 그 모든 것을 다 향유할 수가 있다.

선진국민의 조국애는 도덕에 기초해 있고, 후진국민의 조국애는 부정부패에 기초해 있다. 선진국민은 도덕이라는 가장 좋은 목재로 집을 짓고, 후진국민은 부정부패라는 썩은 나무로 집을 짓는다. 선진국민에게는 번영과 행복이 약속되어 있고, 후진국민에게는 쇠퇴와 불행이 약속되어 있다. 부정부패란 눈앞의 이익을 위해서 전체의 이익을 훼손하는 질병이며, 이 질병에 걸린 민족들은 단 한 번의 싸움도 해보지를 못하고 외부의 적들에게 그 모든 것을 다 빼앗기게 된다. 이 세상에서 가장 무서운 질병은 암적인 종양보다 부정부패인데, 왜냐하면 부정부패는 자기 자신은 물론, 그가 소속된 민족과 국가의 영혼까지도 속속들이 다 썩어가게 만들고 있기 때문이다.

황지우 시인의 「새들도 세상을 뜨는구나」의 물질적 토대는 대한민국이며, 이 세상 그 어딘가로 떠나가고 싶은 한 지식인의 절망감의 노래라고 할 수가 있다. 너도 나를 믿지 못하고, 나도 너를 믿지 못한다. 스승도 믿을 수가 없고, 정치인들도 믿을 수가 없다. 군인도 믿을 수가 없고, 목사도 믿을 수가 없다. 믿음이 믿음의 멱살을 움켜쥐고, 믿음의 귀싸대기를 갈겨버린다. 믿음이 믿음의 재산을 다 가로채가고, 믿음이 믿음의 뒤통수를 느닷없이 갈겨버린다. 이 상호불신의 기원은 부정부패이며, 우리 한국인들의 부정부패는 하나님도 감동할 만큼 너무나도 대범하고 그 뿌리가 깊다.

영화관의 애국가는 하나의 쇼에 지나지 않으며, 삼천리 금수강산은 그 어딘가에 시원한 물줄기를 숨기고 있는 사막지대만도 못하다. 애국가가 부정부패로 비틀거리면 삼천리 금수강산이 신음을 하고, 갈대 숲의 흰 새떼들이 "자기들끼리 끼룩거리면서/ 자기들끼리 낄낄대면서/ 일렬 이렬 삼렬 횡대로 자기들의 세상을/ 이 세상에서 떼어 메고" "이 세상 밖 그 어디론가로" 날아가면, 대한민국의 텃새인 우리 한국인들이 그 선망의 눈초리를 어찌지 못하고 주저 앉는다. 땅이 푹푹 꺼지고, 저절로 한숨이 나오며, "대한 사람 대한으로/ 길이 보전하세로" 어쩔 수 없이 주저 앉는다.

대한민국의 애국가는 장송곡이자 망국가에 지나지 않는다. 부정부패가 우리 한국인들을 산채로 잡아먹고, 부정부패가 삼천리 금수강산을 너무나도 메마르고 황량한 사막지대로 초토화시켜 놓는다. 희망이 없다. 오직 희망이 있는 새가 되어 이 세상 밖 그 어딘가로 훨훨훨 날아가고 싶을 뿐이다.

비록, 그곳이 지옥이고, 이글이글 타오르는 지옥의 불길 속이라도―.

이   명
텃골에 와서

처마 밑에 장작이 가지런히 쌓여있는 집은
보기만 해도 따뜻하다

불을 품고
바람벽에 기대
순서를 기다리고 있는 나무들은 또 얼마나 선한가

버려져 있는 나무보다 선택되었다는 마음에 안도하
듯
틈새에서는 아지랑이가 피어오른다

장작은 서까래까지 닿아 있고
영혼은 자유로운데
언제부터 나무들은 제 몸을 태울 생각을 했을까

옹기종기 모여 앉아
몸속에 남아 있는 한 톨의 습기마저 돌려드리며
세월을 둥글게 말아가고 있다

나는 늘 쓰임새 있기를 기대했으나
여름이 가고
또 가을이 가고
선택되기 위해 몸부림쳤던 날들도 다 보내고
한계령 너머 계절의 끝자락에 와 있다

사람들은 왜 거기까지 갔느냐고 말을 하지만
뜨거운 것이 사랑이라면
부풀어 오르는 것은 그리움이라 해야 하나

처마 아래 장작 곁에서
고요히 부풀고 있는 한 독의 술
이제, 더 이상 말은 필요 없을 것 같다

발화를 기다린다
— 이명 시집, 『텃골에 와서』에서

그 옛날 임산연료 채취시절에는 땔감이 매우 귀했고, 처마 밑에 장작을 가지런히 쌓아놓은 집은 모든 사람들의 부러움의 대상이 되었다. 왜냐하면 장작은 부유함의 상징이며, 행복의 상징이었기 때문이다. 식량이 육체적인 에너지라면 장작은 인간의 외적 장애물을 극복할 수 있는 에너지라고 할 수가 있다. "처마 밑에 장작이 가지런히 쌓여있는 집은/ 보기만 해도 따뜻하다"는 것은 그 어떤 엄동설한도 무서울 것이 없다는 것이 되고, 이 따뜻함 속에는 부유함과 행복이 아주 고소하고 달콤하게 익어가고 있었던 것이다.

이명 시인의 「텃골에 와서」의 시적 화자는 "처마 밑에 장작이 가지런히 쌓여있는 집"을 보면서, 성자의 모습을 떠올리고 있는데, 왜냐하면 나무들이 스스로, 자발적으로 '장작의 길'을 선택했기 때문이다. 버려진 나무는 그냥 썩어가는 나무에 불과하지만, 장작의 길을 선택한 나무는 자기가 자기 스스로를 불 태우며, 그 모든 사람들을 다 구원해줄 수가 있는 것이다. 장작의 길은 성자의 길이고, 성자의 길은 금욕의 길이다. 금욕의 길은 "옹기종기 모여 앉아/ 몸속에 남아 있는 한 톨의 습기마저 돌려드리며/ 세월을 둥글게 말아가고 있다"라는 시구에서처럼, 최고─최선의 길이며, 이 최고─최선의 길은 그 모든 군더더기가 하나도 없는 시인의 길이다. 성자의 길은 시인의 길이고, 시인의 길은 '나'를 불태움으로써 그 모든 것을 다 살리는 길이라고 할 수가 있다. 시인과 성자의 길은 최고─최선의 길이며, 이 시인과 성자들이 있기 때문에, '가족공동체', '사회공동체', '국가공동체', '지구공동체'가 자유와 사랑과 평화의 버팀목으로서 그 체제를 유지해나갈 수가 있는 것이다.

하지만, 그러나 이명 시인의 「텃골에 와서」의 시적 화자는 "나는 늘 쓰임새 있기를 기대했으나/ 여름이 가고/ 또 가을이 가고/ 선택되기 위해 몸부림쳤던 날들도 다 보내고/ 한계령 너머 계절의 끝자락에 와" 있으며, 그 모든 것을 다시 새롭게 깨닫는다. 모든 사람들이 왜, 하필이면 그 궁벽한 오지까지 갔느냐고 묻지만, 그러나 그는 그 버림받음을 극복하고 '아름다운 삶과 아름다운 죽음'으로서의 시인의 길을 선택했던 것이다. 장작은 뜨겁고, 장작은 불 타오른다. 성자도 뜨겁고, 성자도 불 타오른다. 시인도 뜨겁고, 시인도 불 타오른다.

이명 시인은 어둠을 밝혀주는 불과, 지혜로서의 불과, 생명이 생명을 살아 움직이게 하는 불이 되기 위하여 그 모든 욕망을 다 버리고, 그토록 간절하고 뜨거운 그리움으로 "한 독의 술"이 되어간다. 술도 뜨겁고 뜨거운 불이고, 사랑도 뜨겁고 뜨거운 불이다.

온몸으로, 온몸으로 장작이 되고 성자가 되는 '시인의 길'이 이처럼 아름답고 멋진 「텃골에 와서」로 완성된 것이다.

시인의 삶은 최고—최선의 삶이며, 아름답고 행복한 죽음의 길이 되지 않으면 안 된다.

나는 늘 쓰임새 있기를 기대했으나

여름이 가고

또 가을이 가고

선택되기 위해 몸부림쳤던 날들도 다 보내고

한계령 너머 계절의 끝자락에 와 있다

사람들은 왜 거기까지 갔느냐고 말을 하지만

뜨거운 것이 사랑이라면

부풀어 오르는 것은 그리움이라 해야 하나

처마 아래 장작 곁에서

고요히 부풀고 있는 한 독의 술

이제, 더 이상 말은 필요 없을 것 같다

발화를 기다린다

금기웅
아픈 달

1

어둑해진 거리에 서 있었다

까만 추억같이 단단해 보이는 고집이 꼬리를 흔들며
지나가고 있었다

나는 물렁해진 저녁을 물고 우물거리며 오래된 상가
앞을 걸어갔다

골목 끝 순대국 집 가마솥에서

허연 거품을 내품으며 버둥거리는 돼지머리처럼 이
제 아주 잊기로 했다

하늘에는 반달이 떠 있었다

2

그녀 몸에서 하얀빛이 희미하게 새어 나오고 있었다. 도로의 가로수에서 바람이 스쳐가는 소리가 들리는 것 같기도 했다.

가만히 그녀의 몸에 이불을 덮어주었다. 그녀가 아픈 몸과 노곤했던 하루를 쉬어가기를 바랬다. 나는 발소리를 내지 않기 위해 뒤꿈치를 들고 걸어갔다. 가슴을 식히려고 심호흡도 길게 해 보았다.

하늘을 보았다. 그녀가 반쯤 잘린 채 떠 있었다. 그녀 몸이 빨리 회복되게 해달라고 빌었다. 그녀가 밤의 손을 잡고 물먹은 안개 속으로 들어가고 있었다. 고여 있던 기억이 몇 방울 흘러내렸다. 문득 앞이 보이지 않았다. 나는 단지 여행자였던 것이다.

— 『애지』, 2017년 가을호에서

인간은 이 지구에 잠시 놀러온 손님에 지나지 않는 다는 말도 있다. '나'를 '나'로서 설명하고 나의 존재의 정당성을 증명할 수가 없기 때문에, 이 손님이라는 말은 더욱더 타당성을 띠게 된다. 하지만, 그러나 '나'를 '나'로서 설명하고 나의 존재의 정당성을 증명할 수가 없기 때문에, 오히려, 거꾸로 그 손님이라는 말이 나의 존재의 정당성을 증명해주고 있는 것이다. 나는 이 세상의 주인이 아닌 손님이고, 이 손님의 신분을 극복하기 위하여 나의 한평생을 짊어지고 이 세상을 떠돌아다니고 있었던 것인지도 모른다.

손님이란 주인이 아닌 떠돌이—나그네이며, 풍찬노숙의 삶을 살지 않으면 안 된다. 아침마다 태양에게 희망의 의미를 부여하고 찬 이슬로 목을 축인다. 이글이글 타오르는 불모지대를 걸어가며, 밤이 되면 도시 근처에서, 그 피곤하고 지친 몸을 누인다. 금기웅 시인의

「아픈 달」은 여행자(손님), 즉, 떠돌이―나그네의 노래이며, 그 숙명적인 비극의 주인공의 절규라고 할 수가 있다. "어둑해진 거리"에서, "까만 추억같이 단단해 보이는 고집이 꼬리를 흔들며 지나가고 있었다"는 것은 내가 나를 찾아다니는 과정을 설명해주고 있는 것인데, 왜냐하면 "까만 추억같이 단단해 보이는 고집"이란 여간해서 그 고집을 꺾을 수가 없기 때문이다. 내가 나를 찾아다니고, 또, 내가 나를 찾아다닌다. 도처에 나는 있지만, 도처에 나는 없다. 이 도로아미타불의 수고 때문에 나는 실망을 하고, "허연 거품을 내품으며 버둥거리는 돼지머리처럼 이제 아주 잊기로" 한다. 이때의 잊음은 나의 고집을 잊는다는 것이고, 또한 이때의 잊음은 내가 나를 찾아다녔던 지난날의 삶을 잊는다는 것에 맞닿아 있다고 하지 않을 수가 없다.

　하지만, 그러나 밤하늘에는 하얀 반달이 떠 있었고, 이 반달은 시적 화자인 '나'의 분신에 지나지 않는다. 나도 주인이 없는 손님이고, 반달도 주인이 없는 손님이다. 현상과 본질이 하나이듯이, 주인(본질)과 손님(현상)도 하나이다. 주인없는 손님도 없고, 손님없는 주인도 없다. 하지만, 그러나 그 언제인가부터는 나(손님)는 나(주인)에게서 분리가 되었고, 주인이 없는 나는 오직 이 세상을 끊임없이 떠돌아 다니고만 있었다. 시적 화자가 "가만히 그녀의 몸에 이불을 덮어"주고, "그녀가 아픈 몸과 노곤했던 하루를 쉬어가기를 바랬"던 것도 다 그럴만한 까닭이 있었겠지만, 그러나 그렇다고 해서, 그 '아픈 달'의 고통이 끝날 수는 없는 것이었다.

하늘에는 반쯤 잘린 채 아픈 달이 떠 있었고, 이 아픈 달이 밤의 손을 잡고 물 먹은 안개 속으로 사라져가고 있었다.

떠돌이—나그네의 인생은 안개이고, 오리무중이다.

떠돌이—나그네의 삶은 아픔 뿐이고, 그 앞이 보일 리가 없다.

'나'가 없는 '나', 기어코 나의 주인이 되고, 이 세상의 주인이 될 수 없는 비극이 금기웅 시인의 「아픈 달」에는 각인되어 있는 것이다.

정용기
석이石耳

봄밤, 소쩍새가 내내 운다.
몸겨누운 절벽 하나가 밤을 새워 앓는다.

절벽도 귀가 있어서
구름 흘러가는 흔적에도 애가 달고
천둥 번개에도 소스라쳐 떨쳐 달아나고 싶고
암팡진 여자를 보면 따라나서고 싶어 안달이지만,
머나먼 광년을 달려온 별빛이 조곤조곤
들려주는 이야기를 마음에 다잡아 새기고
하룻밤 묵으러 왔다가 천년만년 눌러앉은
소쩍새 울음도 켜켜이 누르고 눌러 왔을 것인데

석이버섯이 저녁 밥상에 오른 봄날 이후
귀를 잃고 안절부절 못하는 절벽이
귀가 먹어 버린 낭떠러지 하나가

밤마다 찾아와서 울다가 간다.

소쩍새가 곡비처럼 우는 봄밤,

저렇게 절벽 앞에서는 누구나 절박해지는 것이다.

— 『애지』, 2017년 가을호에서

석이버섯이란 석이과 식물인 지의류地衣類에 속한 종으로 지름 3센티미터에서 10센티미터의 원반형으로 잎 뒷면 한가운데 짧은 자루가 한 개 나와 바위에 달라붙어 자란다. 표면은 검은 암갈색이며, 마르면 매끈매끈해지고, 맛과 향이 좋아 최고급의 버섯 중의 하나로 손 꼽힌다. 석이란 높은 산, 험한 절벽(암벽)에서 자라기 때문에 '돌의 귀'라는 이름이 붙여졌다고 보여지지만, 정용기 시인의 「석이石耳」는 매우 독특하고 매우 뛰어난 수작秀作이라고 할 수가 있다.

저녁 밥상에 오른 석이버섯을 보며, "귀를 잃고 안절부절 못하는 절벽이/ 귀가 먹어 버린 낭떠러지 하나가/ 밤마다 찾아와서 울다가 간다"라는 시구는 가히 상상력의 혁명이며, 제일급의 시구라고 하지 않을 수가 없다. 눈 먼 자는 타인과의 의사소통이 가능하고 정상적인 생활을 할 수가 있지만, 귀머거리는 타인과의 소

통도 가능하지 않고 그 어떠한 정상적인 생활도 가능
하지가 않다. 앞에도 절벽이고, 뒤에도 절벽이다. 오
른쪽도 절벽이고, 왼쪽도 절벽이다. 눈을 떠도 절벽이
고, 눈을 감아도 절벽이다. 절벽에서 태어나 절벽에서
자란 절벽 하나가 그 유일한 의사소통의 출구인 귀를
잃고 밤이면 밤마다 울고 간다. 봄밤, 소쩍새는 절벽의
곡비가 되고, 그 모든 상대를 잃어버린 절벽은 그 자체
로서 절박해진다.

구름이 흘러가는 흔적에도 절벽을 탈출하고 싶었던
절벽, 천둥 번개에도 소스라쳐 달아나고 싶었던 절벽,
암팡진 여자를 보면 따라나서고 싶어 안달이 났던 절
벽, 하지만, 그러나 "머나먼 광년을 달려온 별빛이 조
곤조곤/ 들려주는 이야기를 마음에 다잡아" 새겼던 절
벽, "하룻밤 묵으러 왔다가 천년만년 눌러앉은/ 소쩍새
울음도 켜켜이 누르고 눌러" 왔던 절벽―.

석이버섯이 저녁 밥상에 오른 봄날 이후
귀를 잃고 안절부절 못하는 절벽이
귀가 먹어 버린 낭떠러지 하나가
밤마다 찾아와서 울다가 간다.

소쩍새가 곡비처럼 우는 봄밤,

저렇게 절벽 앞에서는 누구나 절박해지는 것이다.

저녁 밥상에 오른 석이버섯을 보며, 귀 떨어진 절벽 하나가 밤을 새워 앓는다는 상상―, 이 상상의 힘이 소쩍새를 울게 하고, 정용기 시인의 「석이石耳」를 제일급의 명시로서 살아 움직이게 하고 있는 것이다. 상상의 힘은 고통의 깊이이고, 고통의 깊이는 혁명의 깊이이다. "봄밤, 소쩍새가 내내 운다/ 몸져누운 절벽 하나가 밤을 새워 앓는다"라는 시구나 "소쩍새가 곡비처럼 우는 봄밤/ 저렇게 절벽 앞에서는 누구나 절박해지는 것이다"라는 시구에서처럼, 고통은 그 주체자의 감각을 예민하게 하고, 이제까지의 모든 가치와 질서 등을 새롭게 성찰하게 한다. 절벽은 생존의 막다른 벼랑길이며, 절벽과 절벽이 만나서 이처럼 소쩍새를 울게 하고 있는 것이다.

시인의 고통이 소쩍새를 울게 하고, 이 소쩍새의 울음이 석이버섯을 자라나게 한다.

고통은 상상력을 생산해내고, 상상력은 혁명을 창출해낸다.

새롭다. 모든 독자들의 탄성을 창출해내는 멋진 신
세계이다.

이금주
헛꽃

서로 마주 바라보는 일
언제부턴가 불편해진 거울 속
제 발로 걸어 들어가
모락모락 피어나는 그녀

24시간 틀에 박힌
앵무새 같은 아내를 벗어버리고
예의바른 며느리를 훌훌 벗어던지고
뭇 사내 시선 방울방울 고이는
초미니스커트 여자를 입는다

봄바람을 업고 날아다니는 민들레 씨앗처럼
하늘공원이었다가
낙원극장이었다가
별다방이었다가

옆집꽃밭이었다가

길고양이 사랑을 꿈꾸는 골목
저만치 마중 나온
그녀의 스무 살

둥근 달이 뜨는 스무 살의 페이지
분홍으로 피고 또 피어도
여전히 목마른
순천댁 그녀

— 『애지』, 2017년 가을호에서

'헛꽃'은 국어사전적 의미로 열매를 맺지 않는 꽃이며, 생물학적으로는 그 어떤 쓸모도 없는 꽃이다. 하지만, 그러나 이 헛꽃이 진짜꽃의 보색補色이며 그 부산물이라는 효용가치 이외에도, 헛꽃은 헛꽃으로서의 원형이며, 그 모든 꽃들의 이상적인 원형이라고 할 수가 있다. 헛꽃은 헛꽃만의 존재 가치가 있으며, 헛꽃은 헛꽃만으로서의 아름다움이 있는 것이다. 헛꽃은 숨구멍이며, 산소이고, 헛꽃은 상상의 꽃이며, 진짜 꽃이다.

　　한 남자와의 은혼식銀婚式이 싫증이 날 때에도 다른 남자와의 연애를 생각하고, 한 남자와의 금혼식金婚式이 싫증이 날 때에도 다른 남자와의 연애를 생각한다. "서로 마주 바라보는 일/ 언제부턴가 불편해진 거울 속/ 제 발로 걸어 들어가/ 모락모락 피어나는 그녀"에서처럼, 자기 자신의 생물학적 노쇠를 견디지 못할 때에도 스무 살의 초미니스커트를 입고 싶어하고, 스무 살의 초미니스커트를 입고 싶어 할 때에도 "봄바람을 업고 날아다니는 민들레 씨앗처럼" 다른 남자와의 연애를 꿈꾼다.

상상은 헛꽃이고, 이 헛꽃이 없으면 상상은 그 존재가치를 잃어버린다. 상상이 없으면 자유가 없고, 자유가 없으면 "24시간 틀에 박힌" "순천댁 그녀"는 더 이상 이 세상을 살아갈 수가 없다. 앵무새 같은 아내를 버리고 싶을 때에도 헛꽃이 피고, 예의바른 며느리를 훌훌 벗어던지고 싶을 때에도 헛꽃이 핀다. 그 옛날에도 헛꽃천지였고, 오늘날, 지금, 이 순간에도 헛꽃천지이다. 삼천리 금수강산은 '헛꽃공화국'이며, 이 헛꽃의 아름다움으로 이 지구와 이 우주가 그 영원성을 자랑하게 된다.

헛꽃은 상사相思꽃이고, 헛꽃은 바람꽃이다. 헛꽃은 섹스중독증의 꽃이고, 그 모든 출산의 꽃이다. 예컨대,

봄바람을 업고 날아다니는 민들레 씨앗처럼

하늘공원이었다가

낙원극장이었다가

별다방이었다가

옆집꽃밭이었다가

라는 시구가 그것이 아니라면 무엇이고, 또한,

길고양이 사랑을 꿈꾸는 골목

저만치 마중 나온

그녀의 스무 살

이라는 시구가 그것이 아니라면 무엇이란 말인가?

모든 꽃은 헛꽃이고, 이 헛꽃이 진짜 꽃보다도 더 아름답고, 더욱더 풍요로운 그 생산성을 자랑한다. 모든 문명과 문화는 상상력, 즉, 헛꽃의 성과이며, 이 헛꽃이 없이는 그 어떤 문명과 문화도 가능하지가 않다.

둥근 달이 뜨는 스무 살의 페이지

분홍으로 피고 또 피어도

여전히 목마른

순천댁 그녀

헛꽃은 여전히 목이 마르고, 헛꽃은 여전히 배가 고

프다.

우리는 헛꽃에 의해 태어나고, 헛꽃을 위해 살아가며, 우리는 헛꽃을 위해 죽어간다. 이금주 시인의 「헛꽃」은 '헛꽃의 아름다움'이자 그 진수라고 하지 않을 수가 없다.

나는 이금주 시인의 「헛꽃」을 통해서, '모든 상상은 헛꽃이다'라는 진리를 창출해내게 되었다.

이화은

나 요즘 격하게 외로웠나?

한밤중에 도착한 문자 메시지
길이 너무 멀었나
술을 한 잔 걸치셨나
모음 몇 개를 잃어 버렸네

어미 잃은 아이처럼
오종종 자음 몇이 울먹이네

늦은 시간의 결례를 빌미로 저 문자
아작아작 씹어버릴까
그러나 불구의 문자들에 마음이 쓰이네
나는 글자의 양육을 책임진 시인이니
차마 저 온전치 못한 것들을 외면할 수가 없으니

자음 몇 개를 떨궈낸

간지러운 콧소리 모음들을 답장으로 쏘아줄까?

대낮에 담장을 넘는
줄장미의 뻔뻔한 수작처럼
밝은 날 마주치면 슬쩍
얼굴 한 번 붉히면 그만이지

틀린 철자법이 중매를 서는
이 무식한 거래를 터? 말어?

— 『애지』, 2017년 가을호에서

혼자 밥 먹고, 혼자 일하고, 혼자 영화보고, 혼자 술 마신다. 혼자 산책하고, 혼자 여행가고, 혼자 외롭다. 혼자 한숨 쉬고, 혼자 잠 자고, 혼자 죽는다. 이 '혼자의 전성시대'는 이화은 시인의 말대로, '틀린 철자법의 시대'이며, 자기 짝을 잃어버린 시대라고 할 수가 있다. 남자는 여자를 잃어버렸고, 여자는 남자를 잃어버렸다. 자음은 모음을 잃어버렸고, 모음은 자음을 잃어버렸다.

혼자는 비정상이고, 비정상은 외롭다. 외로우면 술을 마시고 단말마의 비명처럼 실언과 실수를 하게 된다. "한밤중에 도착한 문자 메시지/ 길이 너무 멀었나"라는 시구가 그 외로움의 증거라면, "술을 한 잔 걸치셨나/ 모음 몇 개를 잃어 버렸네//어미 잃은 아이처럼/ 오종종 자음 몇이 울먹이네"라는 시구는 그 실언과 실수의 증거라고 할 수가 있다. 한밤중에, 그렇게 친한 사이도 아닌 여자에게 문자를 보낸다는 것은 대단한 결례일 수도 있지만, 모음을 잃어버린 자음들, 예컨대, 'ㅎㅎㅎ, ㅋㅋㅋ' 등은 더욱더 큰 결례일 수도 있다. 이 모음을 잃은 자음들은 때로는 그 거센 소리와 파열음 때문에, 야유와 조롱과 쌍욕과 희롱의 말로도 들릴 수가 있지만, 그러나 시적 화자는 이 이중, 삼중의 실언과 실수들을 어머니의 마음으로 더욱더 크게 끌어안고자 한다.

이화은 시인의 「나 요즘 격하게 외로웠나?」는 '혼자의 전성시대', 아니, '틀린 철자법의 시대'의 '사랑 노래'라고 할 수가 있다. 시적 화자는 어느 날, 그렇게 친한 사이도 아닌 남자의 문자를 받고, "늦은 시간의 결례를 빌미로 저 문자/ 아작아작 씹어버릴까"라고 생각도 해보았지만, 그러나 한 사람의 여자로서의 측은지심, 즉, 동정의 마음을 보내게 된다. 이때의 동정의 마음은 "나는 글자의 양육을 책임진 시인이니/ 차마 저 온전치 못한 것들을 외면할 수가 없으니"라는 시구에서처럼 어머니의 마음에 맞닿아 있었지만, 이내 이 어머니의 마음은 "대낮에 담장을 넘는/ 줄장미의 뻔뻔한 수작처럼" 여자의 마음으로 변모를 하게 된다. 어머니의 마음은 수직적이며, "글자의 양육을 책임진 시인"
처럼 그 모든 것을 보호하려고 하지만, 여자의 마음은
수평적이며, 그 외로운 사람과 함께 하고자 한다. "자
음 몇 개를 떨궈낸/ 간지러운 콧소리 모음들을 답장으
로 쏘아줄까?"라는 시구는 어머니의 마음에 맞닿아 있
고, "대낮에 담장을 넘는/ 줄장미의 뻔뻔한 수작처럼/
밝은 날 마주치면 슬쩍/ 얼굴 한 번 붉히면 그만이지"
라는 시구는 여자의 마음에 맞닿아 있다.

　나도 외롭고, 너도 외롭다. 여자는 자음을 잃어버렸
고, 남자는 모음을 잃어버렸다. "틀린 철자법이 중매
를 서는" "무식한 거래"가 더욱더 줄장미처럼 많이 피
어났으면 좋겠다. 남과 여, 자음과 모음의 사랑으로 모
두가 다 함께 잘 살고, 모두가 다 함께 행복한 사회가
왔으면 좋겠다.

김환식
밑씻개

아름다운 꽃일수록
꽃받침 뒤에는
빼곡히 잔가시를 숨기고 있다
흰색과 분홍색이 어우러진
꽃이다
이들도 어쩌면 운명처럼 만나서
시어머니밑씻개가 되고
며느리밑씻개가 될 것이다
또, 더러는
시누이밑씻개가 되고
동서밑씻개가 되기도 할 것이다
삼복의 느티나무
그늘 밑에는
마주보고 앉은 밑씻개들이
서럽게 배꼽을 잡고 까무러치고 있다

* 시어머니밑씻개, 며느리밑씻개, 시누이밑씻개, 동서밑씻개=꽃 이름.

— 『애지』, 2017년 가을호에서

수많은　풀들　중에는　'며느리밑씻개'라는　풀이　있
다. 마디풀과에　속한　넝쿨성　한해살이풀인데, 여러　가
지로　갈라지고　산이나　들에서　아주　흔하게　볼　수가　있
다. 잎은　어긋나고　삼각형이며, 7~8월에는　흰색과　분
홍색의　꽃이　줄기　끝에　이삭용으로　피며, 어린　잎은　식
용으로　사용한다. 열매는　검은색으로　꽃받침에　싸여있
고, 줄기에는　잔가시가　많아　다른　물체에　잘　붙으며,
며느리밑씻개는　냉대하증과　자궁탈수와　음부가려움증
과　치질　등에　효능이　있다고　한다. 며느리란　아들의　아
내를　뜻하고, 밑씻개란　똥을　누고　똥구멍을　씻는데　쓰
는　종이　따위　등을　말한다.

　왜, 그런데　하필이면, 식용과　약용으로도　사용하며
우리　주변에서　흔히　볼　수　있는　평범한　풀에　'며느리밑
씻개'라는　아주　고약한　이름을　붙이게　되었던　것일까?
거기에는　다　그럴만한　까닭이　있는데, 그　옛날에는　종

이나 화장지가 없었기 때문에, 호박잎이나 칡잎, 그리고 볏짚 같은 것으로 밑을 씻고는 했던 것이다. 어느 날 어떤 마음씨 고약한 시어머니가 들에서 볼일을 보고 한움큼 밑씻개로 사용한 것이 '며느리밑씻개'였는데, 그러나 대단히 불행하게도 이 며느리밑씻개에는 잔가시가 많아서 그 밑이 몹시 아팠던 모양이다. 그때, 그 고약한 시어머니는 "에잇, 며느리년한테나 걸려들 일이지"라고 궁시렁거렸고, 이때부터 며느리밑씻개라는 이름이 붙여졌다고 한다. 시어머니는 현재의 권력이고, 며느리는 미래의 권력이다. 이 권력은 부자지간에도 나눌 수가 없는 것처럼, 시어머니와 며느리 사이에도 공유할 수가 없는 어떤 것(자산)이다. 하지만, 그러나 장강의 뒷물결이 앞물결을 밀어내듯이, 미래의 권력인 며느리를 영원히 이길 수 있는 시어머니는 이 세상에 없다.

나는 김환식 시인의 「밑씻개」를 읽으면서 이 '며느리밑씻개'에 얽힌 일화들을 떠올려보며 한움큼의 고소한 웃음을 베어 물지 않을 수가 없었던 것이다. 첫 번째는 아름다운 꽃일수록 가시가 많다는 사실인데, 왜냐하면 이 아름다움은 신성불가침의 성역이기 때문이다. 만일, 클레오파트라와 양귀비가 아름다운 꽃이라면 그녀들의 사타구니는 수많은 영웅호걸들의 무덤일 수밖에 없었던 것이다. 두 번째는 시어머니와 며느리의 관계 역시도 불구대천의 원수관계와도 같지만, 따지고 보면 동일한 운명의 양면일 수밖에 없었던 것이다. 한 남자의 아내가 되고, 자식을 낳고, 새며느리를 얻는다. 시누이가 되고, 동서가 되고, 새며느리가 시어머니의 권위에 도전하지 못하도록 온갖 구박을 다 하다가, 어느덧 늙고 병들면 그토록 소중하고 절대적이던 그 권력을 자연스럽게 빼앗겨버린다. 이처럼 불구대천의 원수이면서도 함께 살고, 함께 웃을 수밖에 없는 시어머니와 며느리의 관계에도 웃음이 나올 수밖에 없었던 것이다. "아름다운 꽃일수록/ 꽃받침 뒤에는/ 빼곡히 잔가시를 숨기고 있다/ 흰색과 분홍색이 어우러진/ 꽃이다/ 이들도 어쩌면 운명처럼 만나서/ 시어머니밑씻개가 되고/ 며느리밑씻개가 될 것이다/ 또, 더러는/ 시누이밑씻개가 되고/ 동서밑씻개가 되기도 할 것이다." 시어머니라는 꽃과 가시, 며느리라는 꽃과 가시, 시누이라는 꽃과 가시, 동서라는 꽃과 가시가 "삼복의 느티나무/ 그늘 밑에는" 피어 있는 것이고, 이 여러 밑씻개들이 그 환한 '이야기– 웃음꽃'을 피우고 있는 것이다.

밑씻개는 똥구멍을 씻는 것이고, 익살광대극의 최하천민의 역에 해당된다. "삼복의 느티나무/ 그늘 밑에는/ 마주보고 앉은 밑씻개들이/ 서럽게 배꼽을 잡고 까무러치고 있다"라는 시구에서, '마주보고 앉은 밑씻개들'은 시골마을의 할머니들을 말하고, '서럽게'는 만고풍상의 삶마저도 이제는 즐거운 옛이야기가 되었다는 것을 뜻하고, '까무러치고 있다'는 '의식을 잃고 쓰러진 것'이 아니라, 웃다가, 웃다가, 배꼽이 빠질 정도로 뒹굴고 있다는 것을 뜻한다.

밑씻개는 시어머니가 되고, 밑씻개는 며느리가 된다. 밑씻개는 시누이가 되고, 밑씻개는 동서가 된다. 밑씻개는 가장 아름다운 꽃이 되고, 밑씻개는 가장 환한 웃음꽃이 된다.

밑씻개가 만고풍상의 삶을 씻어내고, 밑씻개가 삼복더위를 씻어내며, 밑씻개가 밑씻개의 전성시대를 열어가고 있다.

오오, 이 세상에서 가장 아름다운 시로 올 여름의 삼복더위를 대청소하고 있는 김환식 시인의 「밑씻개」여!!

안원찬
성탄목

대형교회 앞마당으로 이주해온 날로부터
우리는 사람들을 위한 기쁨조가 되었어요
해마다 크리스마스 시즌이 돌아오면
우리들의 고난주가 시작돼요
예수 탄생을 축원하기 위해
형형색색의 꼬마전구 주렁주렁 매단
오랏줄에 온몸 결박당한 채 찬란히 밤을 밝혀야 해요
추위만도 버거운데 왜 이런 수난 받아야 하나요
수면 부족으로 피 말려야 하는 우리
이주했을 때만 해도 기뻤어요
피아노 반주에 맞춰
때마침 불어오는 바람에
이파리 파랗게 뒤집어대며 박자를 맞추었어요
크리스마스 시즌은 고난의 시즌
돌아오는 봄날에 잎갈이 늦어지고

작년처럼 올해도 열매를 맺지 못하고 있어요

― 『애지』, 2017년 가을호에서

이 세상에서 예수를 하나님의 아들이라고 믿고, 예수를 전지전능한 신이라고 숭배하는 사람들처럼 더없이 어리석고 우매한 사람들이 어디에 있을까? 예수는 언제 태어났고, 언제 죽었으며, 예수는 도대체 언제 부활했단 말인가? 예수와의 동족인 유태인들은 예수의 존재 자체를 인정하지 않으며, 유태인들은 이 사실 때문에 지난 2천 동안 그처럼 개같이 학대를 받고 전세계를 떠돌아 다니지 않으면 안 되었던 것이다. 백과사전에 의하면 예수는 기원전의 인물이라고도 하고, 오늘날의 성탄절은 수많은 가설 중에서 로마의 교황인 율리우스 1세(재위 337~352)가 채택한 가공의 성탄절에 지나지 않는다.

모든 신화는 허구이며, 가공된 이야기에 지나지 않는다. 부처, 예수, 마호메트, 제우스, 시바 등, 모든 신들의 생몰년대는 어느 누구도 알 수가 없으며, 그들의 말씀은 수많은 제자들과 역사가들이 때로는 창조하고, 때로는 가공하며, 때로는 더하고 빼고, 때로는 아주 사악하고 교활하게 꾸며낸 어떤 것들에 지나지 않는다. 만일, 예수가 부활해서 하늘나라에 살고 있다면 그 하늘나라란 도대체 그 어디란 말인가? 제일 가까운 달나라를 가는데도 초속 11.2km로 날아가야 하고, 그리고 아직도 이 대기권 밖에서는 그 어떤 생명체도 살 수가 없다. 매년, 해마다, 또는 날이면 날마다 인간이 차린 제물을 먹고 인간처럼 피를 흘리고 살아가는 그 수많은 신들은 도대체 그 어디에 있단 말인가?

신은 죽었다. 아니, 애초부터 신은 이 세상에 존재하지도 않았다. 오늘날의 모든 학문은 신의 존재를 부정하고 있으며, 그 결과, 인공로봇, 줄기세포, 이종교배, 원자폭탄을 비롯한 대량살상무기 등이 신의 창조질서를 부정하며 그 어떠한 만행들마저도 서슴지 않고 자행하고 있는 것이다. 모든 신화란, 모든 종교란, 최악의 생존의 위기에 몰린 민족들이 자기 자신들의 삶을 위로하고 찬양하기 위한 이야기에 지나지 않으며, 바로 이 지점에서 종교의 사회적 기능과 그 유용성이 생겨나게 되었던 것이다.

기독교는 처음부터 마지막까지 유목민에 의한 유목민을 위한 이야기에 지나지 않으며, 기독교를 믿는 순간, 우리 한국인들은 예수, 즉, 유태민족의 노예가 되었다는 것을 뜻한다. 한국에서 대대로 농사를 짓고 농경민의 후손으로 살아가는 우리 한국인들이 그 모든 영광을 이민족의 신인 예수에게 바친다는 것은 우리 한국인들이 유목민의 후손이 되었다는 것을 뜻한다. 오늘날 우리 한국의 기독교인들은 단군의 후손임을 부정하고 있는데, 단군은 실제의 인물이 아니라 신화적 인물이기 때문이다. 단군을 부정한다는 것은 오천 년의 역사를 부정하는 것이 되고, 이 오천 년의 역사를 부정한다는 것은 이스라엘 사막이 우리 한국인들의 조국이라는 것을 뜻한다.

예수는 숭배를 해도 단군은 숭배를 하지 않는다. 아브라함, 이삭, 야곱 등과 이스라엘 역사와 전통은 존중해도 단군, 광개토대왕, 세종대왕 등과 대한민국의 역사와 전통은 인정할 수가 없다. 대한민국은 이 세상에서 가장 유일하게 종족창시자도 없고 건국기념일도 없는 나라가 되었다. 첫째도 예수이고, 둘째도 예수이고, 셋째도 예수이다. 단군 탄생일인 개천절은 국경일

축에도 끼어들지 못하며, 예수탄생일이 가장 고귀하고 성스러운 국경일이 되었다. '아멘'과 '할렐루야'가 가장 영광스러운 말이 되었으며, 삼천리 금수강산이 예수의 성전에 바쳐진 제물이 되었다.

안원찬 시인의 「성탄목」은 우리 한국인들의 수난의 상징이자 그 증거라고 할 수가 있다. 지난 100년 전만 하더라도 대한민국의 기독교인들은 0.0001%에도 미치지 못했을 것이며, 오늘날 기독교인들이 거의 없는 북한이 바로 그것을 증명해준다. 예수는, 기독교는 이 땅의 점령군인 미군의 군홧발과 함께 들어온 침략자이며, 그 총과 칼을 앞세워 우리 한국인들을 '기쁨조'로 전락시켰다고 해도 과언이 아니다. 이 땅의 사제와 신부들은 외세의 앞잡이들에 지나지 않으며, 모든 신도들은 불구대천의 원수인 예수를 '구세주'로 착각한 '사대주의자'들에 지나지 않는다.

우리 한국인들은 영원한 기쁨조―.

예수(목사)의 성추행은 은총의 표시가 되고, 예수의 강간은 종족번영의 은총이 된다. 예수의 약탈과 살육은 그 은총에 대한 보답의 결과이고, 삼천리 금수강산의 나무들은 예수 탄생을 축원하기 위한 성탄목이 된다.

오오, 안원찬 시인이여!

오늘날 기독교의 본고장인 유럽에서처럼 모든 교회가 초토화될 때까지, 이처럼 언어의 미사일을 쏘아올리고, 또 쏘아올려주기를 바란다.

대부분의 교회와 성당을 지켜주는 것은 신도 아니고, 예수도 아니다. 목사도 아니고, 신부도 아니고, 천사도 아니다. 우리 신부와 목사들이 가장 두렵고 무서워하는 것은 천둥과 벼락이며, 이 천둥과 벼락의 공포로부터 그들을 지켜주는 것은 우리 과학자들이 창출해낸 피뢰침이다.

우리 신부와 목사들은 예수를 믿지 않고 십자가의 꼭대기에 올라탄 피뢰침, 즉, 천둥과 벼락의 공포로부터 그들을 지켜주는 피뢰침을 믿는다.

하지만, 그러나 우리 목사들은 피뢰침을 믿지 않고 예수를 믿는다고 말한다. 왜냐하면 피뢰침은 예수의 부재(신의 부재) 증명이자 돈이 안 되기 때문이다.

우리 신부와 목사들의 대사기극은 이처럼 자기 자신들도 믿지 않는 예수를 믿는다고 하는 데에서 비롯된 것이다.

곽성숙
꽃쌈

꽃잎이 꽃술을 감싸고 있을 때
새들이 그 걸 통째로 따먹는 모습을 나는 꽃쌈이라
부른다

참새가 그럴 줄 몰랐어
나는 네가 그리 고운 속을 가진 줄 몰랐어
오십이 넘고서야
새가 꽃을 따먹는 것을 알다니
제 작은 몸속을 꽃 천지로 채우려고
쌈 싸먹듯 앵두꽃을 톡톡 따 먹는다는 걸 알다니

새야,
꽃쌈으로 너는 배를 불리고
꽃보쌈으로 너는 아이를 낳았구나
포르르 포르르

참새 떼들이
앵두 꽃가지를 흔든다

달빛 환한 봄밤에
꽃쌈 먹는 참새야,
욕심껏 모은 꽃향을
부디,
내 방 가득 부려 주어라.

꽃이란 무엇일까? 꽃이란 사랑의 꽃이며, 존재의 결정체(생식기관)이다. 우리는 꽃에 의해서 태어났고, 우리는 꽃을 피우며, 이 꽃과 함께 이 세상을 마감하게 된다. 산다는 것은 꽃을 피운다는 것이며, 꽃을 피운다는 것은 자기 자신의 존재를 결정한다는 것이다. 나는 나이고, 나는 나로서 살다가 죽는다. 나는 나로서 살다가 죽는다는 것은 내가 나의 존재의 꽃과 사랑의 꽃을 활짝 피우고, 그 결과, 사랑하는 자손을 생산해냄으로써, 종족의 영원성에 기여를 하게 된다는 것이다.

이 세상에 꽃보다 더 향기롭고, 이 세상에 꽃보다 더 아름다운 것은 없다. 꽃은 사랑이고, 사랑은 종족의 명령이며, 이 사랑보다 더 우선하는 것은 없다. 밥을 먹는 것, 공부를 하는 것, 일을 하는 것, 웃고 우는 것, 사생결단식의 싸움을 하거나 전쟁을 하는 것―, 요컨대 이 모든 행위들마저도 '사랑의 꽃'을 피우기 위한 전주

곡에 지나지 않았던 것이다.

　꽃은 사랑이고, 생식기관이고, 존재의 결정체이다. 쌈의 종류로는 상추쌈, 곰취쌈, 깻잎쌈 등, 그 식재료에 따라서 매우 다양할 수도 있지만, 내가 아는 한, 곽성숙 시인의 「꽃쌈」이 최고급의 쌈의 요리에 속한다고 하지 않을 수가 없다. "꽃잎이 꽃술을 감싸고 있을 때/새들이 그 걸 통째로 따먹는 모습을" "꽃쌈"이라고 부르는 것이지만, 아무튼 「꽃쌈」은 최고급의 쌈의 요리에 속한다고 하지 않을 수가 없다. 참새는 꽃쌈으로 배가 부르고, 참새는 꽃보쌈으로 아이를 낳는다. 참새는 참새 새끼들과 함께 앵두꽃이 되고, 앵두꽃은 참새와 참새 새끼들을 닮은 열매를 맺는다.

　　　새야,
　　　꽃쌈으로 너는 배를 불리고
　　　꽃보쌈으로 너는 아이를 낳았구나
　　　포르르 포르르
　　　참새 떼들이
　　　앵두 꽃가지를 흔든다

시인도 참새가 되어 꽃보쌈을 먹고, 그 꽃보쌈을 먹은 끝에 달빛 환한 봄밤에 「꽃쌈」이라는 시를 낳는다.

갑자기 눈앞이 환해지고, "달빛 환한 봄밤에/ 꽃쌈 먹는 참새야/ 욕심껏 모은 꽃향을/ 부디/ 내 방 가득 부려 주어라"라는 시구에서처럼, 그 향기가 천리, 만리 퍼져나가게 된다.

문재인 대통령은 계엄령을 선포해서라도 부정부패를 청산해야 한다. 근친상간이 나쁘다는 것은 천하가 다 안다. 대한민국이 정치, 경제, 사회, 교육, 문화, 언론 등, 몇몇 족벌들의 나라가 되어서는 안 된다.

계엄령을 선포하라! 족벌청산을 위해서—!

반경환

반경환은 1954년 충북 청주에서 태어났으며, 1988년 《한국문학》 신인상과 1989년 《중앙일보》 신춘문예로 등단했다. 반경환의 저서로는 『시와 시인』, 『행복의 깊이』 1, 2, 3, 4권, 『비판, 비판, 그리고 또 비판』 1, 2권, 『반경환 명시감상』 1, 2, 3, 4권, 『이 세상에서 가장 아름다운 명문장들』 1, 2권, 『반경환 명구산책』 1, 2, 3권이 있고, 『반경환 명언집』 1, 2권, 『사상의 꽃들』 1, 2, 3, 4권 등이 있다.

이 『사상의 꽃들』은 '반경환 명시감상'으로 기획된 것이지만, 보다 새롭고 좀 더 쉽게 수많은 독자들에게 다가가기 위한 포켓북이라고 할 수가 있다. 사상은 시의 씨앗이고, 시는 사상의 꽃이다. 그는 시를 철학의 관점에서 이해하고, 철학을 예술(시)의 관점에서 이해한다. 그의 글쓰기의 목표는 시와 철학의 행복한 만남을 통해서, 문학비평을 예술의 차원으로 끌어올리는 것이다. 따라서 반경환의 문학비평은 다만 문학비평이 아니라 철학예술이라고 할 수가 있는 것이다.

시는 행복한 꿈의 한 양식이며, 낙천주의를 양식화시킨 것이다.

이메일 : bankhw@hanmail.net

사상의 꽃들 3
반경환 명시감상 7

초 판 1쇄 발행 2018년 1월 31일
지은이 반경환
펴낸이 반송림
펴낸곳 도서출판 지혜
편집디자인 김지호
주 소 34624 대전광역시 동구 선화로 203-1. 2층 (삼성동)
전 화 042-625-1140
팩 스 042-627-1140
전자우편 ejisarang@hanmail.net
애지카페 cafe.daum.net/ejiliterature

ISBN : 979-11-5728-264-7 04810
ISBN : 979-11-5728-263-0 04810 (세트)
값 10,000원